KB197929

외로움과 시설을 넘어서

Beyond Loneliness and Institutions
Communes for Extraordinary People

외로움과 시설을 넘어서

평범하지 않은 사람들을 위한 코뮌

닐스 크리스티 지음

윤수종 · 강내영 옮김

울력

외로움과 시설을 넘어서 평범하지 않은 사람들을 위한 코뮌

지은이 | 닐스 크리스티

옮긴이 | 윤수종, 강내영

펴낸이 | 강동호

펴낸곳 | 도서출판 울력

1판 1쇄 | 2017년 8월 25일

등록번호 | 제25100-2002-000004호(2002. 12. 03)

주소 | 서울시 구로구 고척로12길 57-10. 301호(오류동)

전화 | 02-2614-4054

팩스 | 02-2614-4055

E-mail | ulyuck@hanmail.net

가격 | 13,000원

ISBN | 979-11-85136-20-2 03330

· 잘못된 책은 바꾸어 드립니다.

· 옮긴이와 협의하여 인지는 생략합니다.

이 도서의 국립중앙도서관 출판예정도서목록(CIP)은 서지정보유통지원시스템 홈페이지(http://seoji.nl.go.kr)와 국가자료공동목록시스템(http://www.nl.go.kr/kolisnet)에서 이용하실 수 있습니다.(CIP제어번호: CIP2015017854)

2001년판 서문

이 책은 무엇에 관한 것인가?

돈을 노동에 대한 유인책과 한 인간의 위신 및 가치를 나타내는 것으로 보지 않기로 결정했던 사회 체계에 관한 것이다. 그 사회 체계에 살고 있는 사람들은 모든 돈을 하나의 모자에 넣어 두고 필요에 따라 사용한다.

이것은 사회생활을 위협하는 어떤 도구들을 사용하지 않기로 결정했던 사회 체계에 관한 책이다.

예를 들어 정신이상과 [정서·지능 발달] 지체와 같은 사회생활을 분열시키는 분류 범주들을 사용하지 않기로 결정한 사회 체계에 관한 책이다. 다른 위험한 — 따라서 또한 금지된 — 범주들은 지도자[명령자]나 두목과 같은 것이다. 대신 그곳에 사는 모든 사람은 마을 사람 또는 '협력자co-worker'이다. 이것은 그들이 일상생활에서 모두 평등하다는 것을 의미하지는 않는다. 몇몇 사람은 더 많은 권력을 지닌다. 그러나 그 권력은 사람으로서 그들이 누구인지 — 그리고 그들이 어떻게 행동하는지 — 에 더 크게 관련되어 있지, 체계 안에서 그들의 형식적 [공식적] 지위에 관련되어 있지 않다.

이 마을 사람들은 모두 같은 집들에서 함께 살고, 마을로 일하러 가고, 마을 안에서 문화 활동을 공유한다.

이것은 '총체적 시설[제도]'이라고 부를 수 있는 체계이다. 이것[총체적 시설]은 그러한 문제들에 관한 문헌에서 상당히 무시되고 있는 현상을 묘사하는 명칭이다. 하지만 나는 통상 부정적인 특징 묘사로 여겨지는 것 속으로 한 걸음 더 나아가려 한다. 나는 이 사회 체계를 '게토'라고 부를 작정이다. 그리고 나는 명예로운 의도로 그렇게 말한다.

게토는 나치와 파시스트 시기에 치명적인 것으로 입증됐다. 하지만 그렇다고 해서 우리가 게토 생활의 몇몇 형태가 지닌 가치들 — 인종에 따라 비슷하다고 상정되는 사람들의 모임, 또는 역사나 공동의 문화에 의해 실제로 비슷한 것 — 을 잊어서는 안 된다. 게토는 외부의 위협이나 누군가의 매우 강렬한 생각이나 계시에 의해 평범하지 않은 협동을 강요받을지도 모른다. 만일 당신이 몇몇 기본적인 생활규칙을 어기면, 그곳은 살기에 끔찍한 장소일지도 모른다. 하지만 그곳은 동시에 우리 대부분이 일상생활에서 철저하게 놓쳤던 상호작용 속에서의 안전 경험과 가슴 뛰는 강렬함이 넘치는 생활의 장소이다. 좋은 게토에서의 삶에 감명 받은 적이 있는 사람은 결코 비게토적인 삶에 완전히 적응하지 못할 것이다.

* * *

이 책은 1989년에 처음 출간되었다. 이후에 어떤 일이 일어났는가? 엘레우테라Elèuthera¹ 출판사는 나에게 서문에 출간 이후 일어난 일에 대해 써 달라고 요청했다. 나는 거부했지만, 그들은 고집을 부렸다. 그리고 그들이 옳았다. 하지만 제대로 하려면, 그것은 어려운 작업이다. 내가 이 책을 쓴 이래로 대체로 어떤 새로운 일도 일어나지 않았기 때문이다. 안정의 시기였지 변화의 시기가 아니었다.

왜 변화보다 변화하지 않는 것을 묘사하는 것이 더 어려울까? 변화하지 않는 것은 시대정신에 반하고, 따라서 아주 쉽게 결점으로 해석될 것이기 때문이다.

* * *

우리 문화에서 지배적인 생각은 [세상으로] 나가서 모든 사회를

----

1. 엘레우테라는 이 책의 이탈리아어 판(*Oltre la solitudine e le isti tuzioni*)을 펴낸 출판사이다. 이 서문은 *Comunita per gente fuori norma*(2001)에 처음 실렸다.

우리의 그림에 따라 만들어 간다는 것이다. 모더니티[근대성]에 대해서도 마찬가지다.

1949년에 해리 트루먼은 전 지구를 고도로 산업화된 나라들로 나아가도록 변화시키면서 저발전과 싸우자는 캠페인을 시작했다. 제3세계의 빈민들은 그들의 저발전과 빈곤으로부터 구출될 수 있었다. 그것은 경제적 합리성이 지배하는 표준에 따라 사는 것을 좋은 삶이라고 상정하는 강력한 이데올로기였다.

하지만 그것은 동시에 모든 나라가 우리의 단순화된 목표 구조를 지니고 우리의 모델로 발전해야 한다는 것을 의미하는 하나의 이상이었다. 저발전 개념은 폐기되어 왔다. 오늘날 올바른 명칭은 제3세계 나라들이다. 하지만 현실은 그대로다. 제3세계 나라들은 우리 수준까지 오르도록 도움을 받을 것이다. 그들의 3등석 마차는 재건되어야 하고, 일등석에 있는 우리 것과 같아져야 한다. 이것을 성취하기 위해 이 나라들은 본질적인 모습을 바꾸어야 한다. 그들은 복합 시설적인 것에서 단일 시설적인 것으로 되어야 한다. 그러면 그들은 국민[일국]으로서 그들의 국제적 의존 상황에서 스스로 벗어날 수 있을 것이다. 하지만 동시에 — 그리고 이것은 사회변혁에 대한 처방으로 언급되는 것은 아니다 — 그들은 상당히 많은 시민들이 국가에 개인적으로 의존하게 되는 상황으로 들어갈 것이다. 또는 다른 그림에서, 저발전된 나라들은 국민생산을 증가시키기 위해 고도로 발전된 나라들에 의존한다. 하지만 동시에 그들은 전적인 저발전 속에서도 모든 사람을 동원하고 모든 노동력을 요구하는 식으로 종종 조직된다. 저발전에서 벗어나게 되면, 이것은 전적으로 뒤집어진다. 다른 국가들에 대한 국민[일국]적 의존은 자신의 국가에 대한 개인적 의존으로 바뀐다. 이 사회들은 생산자와 소비자로 이루어진 국민들의 범주로 이동하지만, 자동화와 합리화 시대의 논리에 따라 엄청나게 많은 그들의 거주자들은 곧 유일하게 중요한 것들 — 생산과 소비의 활동들 — 로 보이는 활동에 충분히 참여하지 못하는 상황에 빠질 것이다.

이반 일리치Ivan Illich[2]는 다음과 같이 말한다.

산업 시대로 진입하면서, 자급자족[생계] 문화에서 사는 대부분의 사람들에게, 삶은 여전히 넘어설 수 없는 한계라는 인식에 입각해 있었다. 삶은 불변적인 필수품들의 영역에 한정되었다. 땅은 알려진 곡식들만 생산했다. 시장으로 가는 여행은 3일이 걸렸다. 아들은 자신의 미래가 어떻게 될지를 아버지로부터 추론할 수 있었다. … 필수품들을 의미하는 욕구들은 참아야 했다. … 자급자족의 도덕경제에서 욕망들의 존재는 그것들이 만족될 수 없다는 확실성만큼 당연한 것으로 여겨진다. (90쪽)

---

2. Ivan Illich, "Needs(욕구들)," *The Development Dictionary: A Guide to Knowledge as Power*, Wolfgang Sachs ed., 88-101, London: St Martin's, 1992.

사람들은 있는 그대로의 삶을 살았다. 사람들은 소망을 가졌지만, 희망의 형태에서이지 권리에 입각한 욕구로서가 아니었다. 일리치의 관점에서 인간은 호모 사피엔스(현명한 또는 품위 있는 인간)에서 호모 미세라빌리스homo-miserabilis[불행한 인간]로 바뀌었다.

이렇게 보면, 저발전이란 생각은 제국주의적인 생각이다. 즉, 고도로 발전한 나라들의 거만함 — 우리는 당신들이 우리처럼 되도록 돕고 있다 — 이라는 의미에서 제국주의적이다. 그리고 원조는 한 제도[시설]가 사상과 가치가 다른 제도[시설]들을 식민화하도록 함으로써, 이 나라들을 복합-시설 조직에서 단일-시설 조직으로 강요하는 촉구 그리고/또는 강제로 이루어지고 있다는 사실에서 제국주의적이다.

* * *

비다로슨Vidaråsen과 다른 마을들은 발전의 압력에 굴복하지 않았던 삶의 유형을 대표한다. 그들은 현대화되는 것을 거부해 왔다. 그들은 옛 사회들의 가치들을 분석해 왔고, 그들 스스로 그것들을 인식했고, 이 가치들에 따라 삶을 재조직했다.

따라서 이후의 발전을 묘사할 때 이것이 문제다.

초판 이후로 매우 적은 일이 일어났다. 왜 그랬을까? 마을 생활의 리듬은 느리다. 즉, 태어나고, 나이 들고, 죽고, 그리고 한

해 또는 일생 동안 몇몇 새로운 사람이 도착한다. 몇몇 새로운 건물이 세워지고 낡은 건물이 얼마간 복구되었지만, 대부분의 생활은 평소처럼 지속되어 왔다. 마을 생활은 예전 형태로 지속되어 왔다.

그렇다면 다음의 도전적인 질문이 제기된다. 어떻게 이것이 가능한가? 진보에 대한 신념으로 가득 찬 세계에서 어떻게 비-발전non-development을 설명할까?

나는 확실한 답을 가지고 있지는 않지만, 몇 가지 제안을 할 수는 있다. 첫째, 마을들에서 모든 주요 활동의 준거점으로서 마을 사람들을 강조한다. 거기서 살고 있는 사람들 가운데 여러 명은 걷는 데 어려움이 있다. 그것은 마을들이 감당하는 지역의 크기에 제한을 가한다. 그것은 또한 관료적인 위계들을 받아들이지 않으려는 태도를 가져온다. 만약 크기가 커지면 그러한 형태들을 막기는 어렵다. 유인 수단으로서 화폐의 제거가 또 하나의 요소이다. 버는 것은 별 일 아니다. 발전은 흔히 삶의 질에 대한 위협 ― 관계를 맺으려는 더 많은 사람, 친밀한 접촉을 위해서는 부족한 시간 ― 으로 보일 수 있다.

하지만 마을에 사는 많은 사람들은 '정상적 사회'에서 성장해 왔다. 그들은 진보의 목적에 맞춰 사회화됐다. 그들은 직장, 가족을 갖도록, 경제적으로나 사회적으로 전진하도록, 스스로 사업체 ― 모든 성공의 통상적 징표들 ― 를 만들도록 훈련받아 왔다. 왜 그들은 그대로 남아 있을까? 왜 그들은 마을들을 이런저런 종류의 현대적 돌봄 가정들로 바꾸지 않는가?

주요한 이유는 마을들이 대안적인 도전들로 가득 차 있기 때문이라고 나는 믿고 있다. 만약 당신이 일상적인 언어를 사용하지 않고 한 인간과 가깝게 산다면, 그것은 엄청난 승리이다. 만약 당신이 어느 날 그 사람의 몸짓 언어를 이해하게 되고, 나중에 그 이해력을 끊임없이 진전시켜 나간다면 말이다. 만약 두 집 사이를 결코 홀로 걸으려 하지 않았던 사람이 어느 날 두 집 사이를 홀로 걷는 영웅적 행위를 한다면, 그것은 수많은 날을 기쁨으로 채우는 행동이다. 게다가 게토의 삶과 연결된 온갖 다른 사회적 보상들이 있다. 마을 생활에는 많은 안정장치들이 있다.

하지만 여전히 그것은 잘못되었을지도 모른다. 마을들은 그들의 경제적 상황에 의해 파괴되었을지도 모른다. 돈이 부족해서가 아니라, 돈이 넘치기 때문에!

나는 모든 돈을 하나의 모자 안에 넣어둔다는 그들의 기본적인 합의에 대해 이미 언급했는데, 책 내용에서 그 세부 사항들을 제시했다. 여기 서문에서 내가 언급할 필요가 있는 것은, 이 원칙이 마을들로 하여금 상대적으로 풍부한 사회 체계가 될 수 있도록 한다는 것이다. 마을들은 평범하지 않은 어려움을 지닌 아주 많은 사람들로 이루어진 다른 체계들이 받아 온 것보다 더 적은 돈을 노르웨이 정부로부터 받는다. 하지만 여기에 사는 사람들에게는 사적 경제가 없다. 마을은 그들의 가정이다. 그들은 집, 차, 보험 증서를 살 필요도 없다. 따라서 많은 돈이 모자 안에 남아 있다. 그리고 그 모자의 돈은 집을 보수하고, 새로운 말을 구하고, 더 많은 땅을 사고, 축하 행사를 위한 새로운 공연장을 짓고, 새로운 마을 사람들을 위한 새로운 집을 짓기 위해 사용된다. 그리고 여기에 고민이 있다. 돈은 과도한 확장에, 특별히 받을 자격이 있는 마을 사람들에 대한 특별 보상 — 마을 내부의 평등을 위한 표준을 위협할 수 있는 보상 — 에, 또는 노르웨이에서 통상적인 것보다 높아서 문제가 될 수 있는 일반적인 생활수준에 사용될 수도 있다. 마을들의 안정성은 돈이 너무 적어서가 아니라 돈이 너무 많아서 위태로워질 수도 있다.

문제는 잘 풀려 왔다. 내가 이 책을 쓴 이래로 일어났던 가장 주목할 만한 것은 마을 운동이 동유럽으로 엄청나게 확장되었다는 것이다. 네 개의 새로운 마을이 만들어졌다. 러시아에 하나, 에스토니아에 하나, 폴란드에 하나, 그리고 가장 최근에 리투아니아에 하나. 그 마을들은 돈, 건물, 장비, 인력의 형식으로 노르웨이 마을들로부터 많은 원조를 받았다. 이 발전을 보면서 처음 몇 해 동안 나는 다소 주춤했고, 노르웨이 마을들이 너무 뻗어 나가는 것이 두려웠다. 돈과 인력은 노르웨이 마을들 안에서도 필요했다. 그것을 모두 동구권으로 보내는 것은 위험했다.

내가 틀렸다. 나는 포틀래치Potlatch[3] 제도를 기억했어야 했다. 또는 사회인류학자들이 묘사한 다른 사례들, 부족이나 공동체의 기본 구조가 변화되거나 파괴되지 않도록 잉여를 파괴하거나, 버리거나, 재분배하는 사례들을 기억했어야 했다. 동유럽에 마을들을 만들도록 돕는 일은 노르웨이에 있는 마을들이 그들의 정체성을 지키도록 했다. 기업가적 추진력은 파괴적이지 않은 출구를 찾았다. 잉여는 좋은 목적들을 위해 사용되어 왔다. 그것은 더 많은 마을들, 대안적 생활방식의 더 많은 예들을 가져오는 발전이었다. 그리고 이것은 경제적 경쟁과 발전이라는 축복의 메시지로써 현재 동구권을 파고들고 있는 일상적으로 서구화된 생각들과의 경쟁에서 이러한 대안들을 크게 필요로 하는 나라들에서 그러하다.

닐스 크리스티
노르웨이, 오슬로
2000. 12. 30.

---

3. 북아메리카 서부 해안 지역 인디언들 사이에서 겨울 축제 때 재산을 많이 모은 부족이 그렇지 못한 사람들에게 선물을 주던 풍습. 큰 부를 축적한 기업들이 부의 일부를 사회에 환원하는 것을 포틀래치 경제라 한다: 옮긴이.

일러두기

1. 이 책은 Nils Christie가 지은 *Beyond Loneliness and Institutions: Communes for Extraordinary People* (Wipf and Stock Publishers, 2007)을 텍스트로 하여 번역하였다.
2. 이 책의 체제는 원서를 따랐고, 원주와 옮긴이의 주석은 각주로 배치하였다. 그리고 옮긴이의 주는 옮긴이의 것임을 표시하였다.
3. 이 책에서 단행본, 신문, 학술지 등은 『 』으로 표시하였고, 기사와 논문 등은 「 」으로 표시하였다.
4. 원서에서 이탤릭체로 강조한 것은 본문에서 고딕체로 표시하였다.
5. 이 책의 노르웨이 인명과 지명 등은 옮긴이의 뜻에 따라 표기하였다.
6. 본문 중 [ ] 안의 글은 옮긴이가 독자의 편의를 위해 첨가한 것이다.

서문

이 책은 평범하지 않은extraordinary 사람[장애인]들을 위한 몇몇 실험적인 마을에 관한 것이다. 공유 경제와 공동체적 삶을 가진다는 점에서 실험적이다. 통상적이지 않은 행동을 하는 온갖 부류의 사람들에게 공간을 제공한다는 점에서 실험적이다. 고전적인 사회 형식들과 문화 형식들을 재구축한다는 점에서 실험적이다. 다양한 부류의 사람들 — 많은 사람이 국가 분류 체계에 의해 '모자란다'고 여겨진다 — 이 여기에서 모든 생활 조건을 공유한다. 집, 식사, 노동, 문화생활을 공유한다. 개인적 급여도, 직원도, 클라이언트도 없다. 마을들은 시설도 아니지만, 평범한 삶의 사례도 아니다.

나는 20년 동안 이 마을들과 연계를 가졌고, 그곳들과 평범한 사회에서의 생활 사이를 오고 갔다. 모든 오고 감이 문화적·정서적 충격이었다. 두 가지 생활 유형이었고, 살아가는 이

유의 두 가지 유형이었다. 그 두 유형은 자신들의 차이를 통해 서로를 밝혀 준다. 이 책은 그 양쪽에서 볼 수 있는 것을 묘사하려는 시도이다.

전체에 걸쳐 이 책의 과제는 세 가지로 이루어져 있다.

첫 번째, 마을들을 묘사하는 것과 그것들이 어떤 희귀종들을 나타내는지를 이해하려는 것이다. 오늘날 유럽에는 그런 마을이 50~60개 있고, 다른 대륙에도 몇 개가 있다. 그것들을 더 체계적으로 아는 것은 이론적으로 중요하다. 동양과 서양 양쪽에서 산업화된 사회들은 자신들의 효율성을 지니며, 대안적인 사회적 장치들을 없애는 데서도 효율적이다. 종족의 수는 감소하고, 변종은 사라진다. 하지만 이러한 모든 것 가운데에서 새로운 급진적 대안을 지닌 새로운 형식들이 발전한다. 새로운 종들이 나타난다. 그들은 사회생활을 이해하는 데 새로운 기회들을 제공한다.

두 번째, 우리 사회들 가운데에서 실험적인 마을들은 어느 정도 우리의 주류적인 해결책에 대한 불만에서 생겨난다. 그러므로 이 예외적인 사회적 장치들은 현대의 산업화된 사회들의 문제적 측면들을 밝히는 데 굉장히 잘 들어맞는 것으로 판명될 수도 있다.

세 번째, 특히 마을들에서 얻은 생각들이 사회복지social work에서 현재의 위기에 어떤 도움을 줄 수 있다면, 이 마을들이 모범적인 가치를 지니지 않을까 하는 물음이 생겨난다. 시설은 어디에서나 파괴된다. 공인된 목표는 다르게 보이는 사람들을 평범한 사회로 돌아가게 하는 것이다. 이것은 평범하지 않은 사람들이 어떤 종류의 생활을 하면서 평범한 사회로 돌아갈 것인가 하는 질문을 제기한다. 물질적으로 그것은 적어도 복지 연대의 측면에서 받아들일 수 있는 생활일 것이다. 하지만 사회 참여와 문화생활에서의 풍요로움이란 기준에 따라 평가할 때, 그것은 충분히 괜찮을까? 그리고 그것은 평범하지 않은 사람들의 평범하지 않은 특질들이 평범한 사회에 영향을 줄 수 있고, 또한 평범한 사람들을 위해서도 그 사회를 좀 더 나은 사회로 만들 수 있는 사회형식들 속에서의 삶일까? 이것들은 이 책의 마지막 부분의 주제들이다.

나는 나에게 외국어인 영어로 이 책을 쓴다. 단어들이 유창하게 나오지 않는다. 단어들을 발굴해야 하기 때문이다. 이 책은 그 대가로 풍부한 자료를 부적절하게 압축할 수도 있다. 하지만 간결함이 유리할 수도 있다. 그래서 특별한 노력도 필요했다. 올바른 정식들을 찾으려는 노력에서 단어들은 어떤 종류의 눈에 보이는 특성을 띤다. 그 노력은 또한 묘사된 현상들로부터 거리를 두도록 돕고, 내가 바라기로는, 정직하게 묘사하도록 돕는다. 모국어의 도움으로 쉽게 숨길 수 있는 것이 느린 발굴 과정 후에 발가벗겨진 채로 그리고 상처받기 쉬운 채로 남는다.

언어에 관한 마지막 메모: 나의 영어는 '적절한 옥스퍼드 영어'가 아니다. 영어를 사용하는 우리 대부분은 영국인이 아니다. 왜 그런 척하고, 우리의 것이 아닌 정교화된 표준에 집착하는가? 특히 이것이 종종 내용을 신비화하는데 말이다. 영어가 세계적으로 널리 사용되는 것은 긴 역사적 발전의 결과이다. 나는 마치 영국이 자신의 언어에 대한 소유권을 잃어 온 것처럼 행동할 것이고, 나의 노르웨이인의 맥박과 조화되고 어울린다고 알고 있는 그 유산의 나의 몫을 사용할 것이다.

이 책은 상당 부분이 공동 노력의 결과이다. 텍스트의 주요 내용들은 대부분 마을 사람들과 토론하고 그들에 맞춰 묘사되었다. 종종 그들은 내가 더 깊이 이해할 수 있게 해 주었다. 그들 중 일부는 몇 가지 점에서 나의 해석에 의견을 달리할 것이다. 물론 최종 책임은 나의 몫이다. 하지만 종종 나는 그들의 목소리일 뿐이다.

몇몇 주요 생각들과 원고의 다양한 밑그림에 대해 건설적인 비판을 해 준 친구와 동료 들에게 감사한다. 플레밍 발비그 Flemming Balvig, 비디스 크리스티Vigdis Christie, 스탠 코헨Stan Cohen, 리브 핀스타Liv Finstad, 시실리 호이고드Cecilie Høigård, 이반 일리치Ivan Illich, 톰 록크니Tom Lockney, 매이브 맥마혼 Maeve McMahon, 아닉 프리어르Annick Prieur, 안네 세터달Anne Sæterdal로부터 큰 도움을 받았다. 두 사람이 이 책에 담긴 생각들에 특별한 영향을 주었다. 마르깃 엥겔Margit Engel은 마을 생활을 구상하고 주도한 주요한 창시자였고, 혜다 약트슨Hedda Giertsen은 실천과 분석을 통해 사회생활의 몇몇 주요 차원을 명확히 하도록 도와주었다.

아스트리 호르겐Astri Horgen은 초고가 모양을 갖추는 데 특별한 도움을 주었고, 나의 일탈적인 언어를 일정한 경계 안에 머물도록 해 주었다. 그리고 원고의 마지막 단계에서는 로널드 월포드Ronald Walford가 그렇게 해 주었다. 하지만 시종일관 나의 주된 선생들은 마을에 사는 평범하지 않은 사람들이었다.

1989년 6월, 오슬로
닐스 크리스티

1. 다섯 마을

야누스 코르차크Januz Korczak는 폴란드 출신의 유대인이었다. 아이들에게 훌륭한 이야기꾼이자 의사였던 그는 바르샤바에서 고아원을 운영하였다. 아이들이 죽음의 수용소로 보내졌을 때, 그는 다른 곳으로 떠날 수 있는 선택권을 받았다. 하지만 그의 선택은 아이들과 머무는 것이었다. 비다로슨Vidaråsen에서 아이들은 작은 언덕 위에 위치한 집들 중 하나에 그의 이름을 붙였다.

이 집에선 창을 통해 마을의 대부분을 볼 수 있다. 창고와 온실은 주위에 작업장이 산재해 있는 마을의 중심에 가까이 있다. 그리고 그 주변에서 우리는 노르웨이의 통상적인 건축 자재인 나무로 전부 지어진 일상생활용 집들을 본다.

노르웨이에는 그런 마을들이 다섯 개 있다. 비다로슨은 노르웨이 남부에 위치하고 있는데, 텐스베르그Tønsberg(바이킹 시대에는 수도였지만 지금은 지방 도시)에서 차로 30분 거리에 있는 20년 된 '엄마 마을mother village'이다. 비다로슨에는 150명의 사람들, 12마리의 젖소와 송아지, 말 한 마리, 암탉 30마리, 양 20마리와 알려지지 않은 수의 고양이들이 살고 있다. 엘크는 사슴, 산토끼, 여우 들처럼, 겨울밤의 방문자이다. 비다로슨에는 판매를 위해 생산하는 빵집, 목공소, 도자기 제작소, 인형을 만드는 작업장, 초를 만드는 공장, 목재소, 생명 역학적 원리에 따라 운영되는 하나의 농장과 두 개의 온실이 있다. 이 모든 것이 의미하는 것 ― 그리고 또한 그것이 어떤 사회적 결과를 야기하는지 ― 은 시간이 무르익으면 묘사할 것이다. 비다로슨에서 가장 인상적인 건물은 '홀Hall'이다. 마을에서 행해지는 모든 사회적 행사, 강의, 오락, 마을 모임, 콘서트를 위해 지어진 큰 건물로, 300명이 앉을 수 있다. 음향과 청중의 질 때문에, 음악가들은 거기에서 연주하는 걸 좋아한다. 또한 마을에는 예배당과 가게 겸 카페가 있다.

비다로슨의 주위 환경은 노르웨이에서 쉽게 볼 수 있는 몇몇 상투적인 유형들과는 대조적이다. 볼 만한 광경도 없으며, 단지 작은 언덕과 시내가 있을 뿐 호수는 없다. 이러한 전망을 벗어나 다음 마을로 가는 것도 위안이 될 것이다. 그 마을은 북쪽으로 차로 두 시간 거리에 있으며, 작은 읍내들과 숲으로 이루어진 인상적인 경치를 지닌 계곡 쪽으로 약간 올라가 있고, 서쪽으로 멀리 산들이 있다. 이 마을 뒤로 더 올라가면 거대한 숲이 있다. 여기에선 여러 날을 걸어야 다음 집에 다다를 수 있다. 이 곳은 예로부터 환상적인 인물들인 '트롤[난장이]'과 '헐더[곱추]'들의 고향 지역이다. 아스비욘슨Asbjørnsen과 모에Moe — 노르웨이의 그림 형제 — 는 이 숲을 거닐었고, 지역 사람들의 말을 들으면서 자신들이 출판하기에 적절한 것을 발견하면 그걸 발행하였다. 이 마을의 이름은 **솔보르그**Solborg/**알름**Alm이다. 여기에는 50명의 사람들과 적정 수의 동물들이 산다. 밭과 금속 세공소는 생산에서 특히 중요한 역할을 담당한다. 이 마을에는 편물 작업장과 가구 제조 작업장도 있으며, 학교와 유치원(둘 다 보통 아이들을 위한 것)도 운영되고 있다.

　호간비크Hogganvik는 노르웨이 서부 해안에 위치해 있다. 정원이 끝나는 바로 그곳에 피오르[협만峽灣]가 있다. 햇빛이 비추는 날이면 그곳은 과장된 관광 책자 같아 보인다. 하지만 대부분은 비가 온다. 영국에서 날아오는 습한 공기는 호간비크 바로 뒤의 언덕에 부딪히면서 산성비가 되어, 그곳에 사는 45명의 사람들과 젖소, 송아지 위로 내린다. 호간비크는 그 지역에서 가장 큰 농장이었다. 현재는 한 집이 더 불어났지만, 사람들이 필요로 하는 만큼 많지는 않다. 노르웨이 서부 해안은 자신들의 신에 대한 믿음만이 유일하게 가능한 형태라고 강하게 믿는 사람들의 고향이다. 마을의 변화는 쉽게 받아들여지지 않는다. 이것은 문젯거리이며, 구체적으로는 마을에서 이루어질 수 있는 모든 확장 기회를 제한하고 있다.

더 멀리 떨어져 있는 북부의 상황은 이렇지 않다. 예소슨 *Jøssåsen*은 산악 가까이에 위치해 있다. 해발 고도는 300미터이고, 북쪽으로 갈수록 더 높아진다. 거기서 과일은 자랄 수 없고, 야채도 거친 것만이 자란다. 여기서 40명이 살며, 땅을 경작하고 가게에서 일한다. 지역사회는 이 마을을 따뜻하게 받아들인다. 이 지역은 인구가 감소하는 것을 막으려고 한다. 그 마을은 그 지역에 새로운 활력을 불어넣었다. 노르웨이는 이처럼 북쪽으로 갈수록 자연스러움이 증가한다. 이탈리아와는 정반대이다.

발러순*Vallersund*은 이 다섯 마을의 마지막 마을이다. 이 마을은 북해로 뻗은 반도 위에 멀리 떨어져 있고, 어선들이 겨울마다 대구를 잡으러 북쪽으로 갔을 때부터 어항이었고, 또한 전통적으로 러시아 어선들과 중요한 무역(노르웨이로부터 생선, 러시아로부터 곡식)을 하던 오래된 항구이다. 마을의 주요 건물은 1700년대부터 있었다. 작은 가게는 조금 더 이후의 것부터 보존되어 있으며, 특수한 곡물 은행 — 생선 없는 암흑의 시기나 전쟁과 봉쇄의 시기를 대비한 비축 장소 — 도 그러하다. 하지만 마을에는 새로운 집들이 더해졌다. 풍차가 높이 솟아 있는데, 이 풍차는 노르웨이에서 가장 높은 곳에 있고, 시 전기 회사에 잉여 전력을 팔 만큼 충분한 생산 능력을 가지고 있다.

오늘날 발러순에는 30명이 산다. 작업장은 아직 발전이 더디다. 건축 활동이 지금까지 대부분의 에너지를 흡수해 왔다. 농업과 더불어 어업은 여기에서 자연스런 활동이다. 굴 생산이 막 시작됐다.

우리는 곧 이 마을들에 대해 더 많은 것을 알게 될 것이다. 하지만 먼저 거기에 살고 있는 사람들에게 더 가까이 다가가 보자.

2. 마을 사람들

2.1 대다수 사람들처럼

식사는 단지 음식을 먹는 것만은 아니다. 식사는 사회생활을 위한 것이다. 따라서 여러 사람이 함께 사는 곳에서 식사는 중요한 사회 활동의 장이 된다. 뉴스가 전달되고, 감정은 부드러운 터치와 분노한 단어들로 분출된다. 식사는 기회를 제공한다. 기회 중 하나는 보이고 싶을 때 자신을 다른 사람들에게 정확히 표현하는 것이다.

자기 자신을 표현하는 것은 테이블에 손님들이 있을 때 종종 강해진다. 손님들은 아무 생각 없이 도착한다. 거기 테이블에 익숙한 사람들은 그들이 가장 보이기를 원하는 모습대로 자기 자신을 표현할 수 있다.

나는 한 마을에 있는 집에서 그 집의 한 사람과 다투었다. 그는 음성이 컸고 끊임없이 말을 했다. 그는 일종의 소리 독점을 행사했고, 경쟁하는 목소리들은 기회가 없었다. 그리고 손님들은 그를 더 쏟아내게 만들었다. 종종 손님들은 그것을 좋아했으며, 듣고, 끄덕이고, 그에게 계속하도록 용기를 주었다. 이야기 A와 B뿐 아니라 C와 D도 했다. 가구household의 장기 구성원들은 용기를 주기 위해서라면 손님들을 죽이려 들지도 모른다. 많은 참여자들은 최소한 그들 자신의 자기표현 욕구에, 아마 새로운 어떤 것으로, 잠재적인 기여를 했다. 그리고 이야기는 매번 같은 방식으로 정확히 반복됐기 때문에, 이야기 A와 B, C, D는 가장 세밀한 부분까지 그들에게 친숙했다. 이 네 개 이상의 이야기는 없었다. 하지만 음성 생산의 독점이 이야기 B 또는 C 이후에도 끝나지 않으면, 식사 내내 그 이야기들은 계속됐다.

이 이야기들의 의미가 밝혀졌을 때, 그들과 사는 것이 더 쉬워졌다. [그 이야기의] 생산자는 억세고 자신 있어 보이는 남자였고, 현재도 그렇다. 그가 몸으로 보여 주는 자세는 그 자체로 좋은 소개이다. 강하고 근면하며, 훌륭한 노동자, 3대째 같은 직업을 가졌고, 마을 생활의 기둥이자 신뢰받는 사람이었다. 그리고 그의 몸을 통한 이 표현은 완전히 정확하다. 그는 A에서 D까지 그 이야기들을 말하는, 마을의 중요한 사람들 가운데 한 사람이다.

하지만 그 이야기꾼은 문제를 지니고 있다. 그는 읽을 수 없고, 쓸 수 없다. 그는 어떤 평범한 대화에도 참여할 수 없다. 그가 어떤 대화에라도 끼면, 모든 것은 엉망으로 끝난다. 하지만 그는 대다수 사람들과 같다는 것을 상당히 강조한다. 그리고 그의 이러한 태도는 마을에 있는 대다수 사람들과 크게 대조된다. 그래서 여동생은 마을에 있는 그녀의 오빠가 방문하는 것도 결코 받아들이지 않을 것이다. 그녀는 방문을 난처해한다. 테이블의 대화 독점자는 일반적인 이상들을, 자신이 어떻게 그 이상의 실현에 실패하는지, 자신의 여동생이 그것을 어떻게 보는지, 이 모든 것을 안다. 좋은 것은 보통의 상태로 있는 것이다.

그때 손님들이 온다. A에서 D까지 그 이야기꾼은 다른 모든 사람과 동등한 인간으로서 참여한다. 이러한 시각에서 보면, 그의 말의 흐름은 자신의 본질을 은폐하려는 행위의 일부이다. 이상한가? 장애인의 전형인가? 나는 나의 이스라엘 여행에서 그것에 답해 볼 생각이다.

2.2 취약성

예루살렘의 뜨거운 어느 날이었다. 바람이 언덕 위의 대학 건물들 주위에서 불어오고 있었다. 나는 늦었고, 거기에서 내 친구를 만날 것이다. 그리고 시간에 맞추기 위해서는 버스를 타야만 한다. 마운트 스코푸스Mount Scopus는 예루살렘 히브리 대학이 있는 곳의 이름이다. 하지만 그 이름이 히브리어로 어떻게 되나? 나는 모르는 숙녀에게 용기 있게 질문했고, 그것은 승리였지만, 곧 패배가 뒤따랐다. 나는 그녀의 대답을 잘못 이해했고, 내 뒤에서 버스 문이 닫힐 때 그녀가 외치는 소리를 들었다. 당황하여 땀을 흘리면서, 새 버스로 바꿔 타야만 했다. 마침내 대학에 도착했지만, 다음 시련이 기다리고 있었다. 즉, 사무실 문들이 길게 열지어 있었다. 다시 히브리어 표시들만 있었다. 문맹이 지배하는 곳에서는 완벽한 기억이 요구된다. 왼쪽에서 다섯 번째가 아니라면, 소화기와 마주하고 있는 그의 사무실은 어디 있나? 확실하지는 않지만, 내 친구 바로 옆 방에 그날 내가 만나고 싶지 않은 남자가 있다. 히브리어 표시는 크고 아름답다. 나는 행동해야 한다. 5번 문을 연다. 대참사, 정확히 내가 만나고 싶지 않았던 사람. 다음 문. 새로운 대참사. 내 친구는 사라졌다. 카페에서 위안을 찾는다. 평소대로 나는 메뉴를 이해하지 못한 채 모르는 어떤 것을 주문하고, 내가 더 지불해야 한다는 것을 의미할지도 모를 많은 소리들을 피하기 위해 큰 글씨로 쓴 메모와 함께 지불한다. 여행자들과 다른 장애인들 사이에서 오래된 속임수이다. 약삭빠름은 누군가 말없이 있을 때 요구된다. 하지만 돈을 받는 사람은 기분이 상한다. 올바른 버스를 타기 위해 다시 묻는 번거로움을 피하려고 마을로 걸어간다. 통곡의 벽[1]을 돌며 감상한다. 하지만 지금은 너무 뜨거운 것 같다. 대신 내가 읽을 수 없고, 쓸 수 없고, 내 주위의 대부분의

---

1. 예루살렘 제2성전 가운데 남아 있는 유적지로, 유대인들은 이곳에 순례차 와서 소원이 적힌 쪽지를 벽의 돌 틈새에 끼워 가며 기도를 한다: 옮긴이.

사람들에게 말할 수조차 없는 상황에 빠져 있다는 것에 대해 허공에 대고 푸념한다. 내 집으로 돌아간다. 뒷마당에서 목수와 몸짓으로 말한다. 상냥한 남자라는 생각이 든다. 집 안에 들어가면, 다시 안전하다. 거울 속에 있는 내 자신을 힐끗 본다. 나를 아는 누군가를 보는 것은 좋다. 내가 꽤 평범하다는 것을 누가 알랴.

2.3 자신감을 갖는 것

감추려는 행동은 에너지를 흡수한다 — 항상 주연배우로부터, 때때로 주변인물들로부터. 자신 있는 사람은 대부분 있는 그대로 나타나는 사람들이다. 그러므로, 어느 날 마을에서 들었던 전화 통화 내용은 좋았다. 한 아이가 마을에서 버스 정거장으로 전화했다. 그는 타고 갈 버스에 대해 알고 싶어 했다. 답은 너무 복잡했고, 그는 외쳤다. "아니, 당신은 천천히 말해야 해요. 나는 정신지체예요. 당신도 알잖아요."

또는 안나(Anna)의 경우. 우리는 싸웠고, 흥분하여 나는 다음과 같은 말을 무심코 해 버렸다. "너 완전히 바보구나?" 안나가 되받아 소리 질렀다. "그래, 그게 내가 여기 있는 이유야."

또는 헬게(Helge)의 경우. 낮에 대체로 그는 작은 서류가방을 들고 마을 주위를 걷는다. 가방에는 메모장이 있고, 그 위에 뭔

가를 자주 쓴다. 페이지를 넘겨 가며. 거의 항상 그는 큰 사건
에 관해서 연설을 한다. 그의 연설은 짧고, 정확하고, 따뜻하고,
종종 재미있다. 헬게가 이야기할 때는 진정한 축복이다. 감사
와 기쁨으로 열렬한 박수갈채와 환호가 이어진다. 그의 연설에
서 유일한 문제는 완전한 단어가 거의 없다는 것이다. 직접 대
화할 때는 단어를 알 수 있지만, 큰 사건에 관한 연설은 다르
다. 단어들은 아름다운 리듬을 가지고 있다. 단어들은 형식에
서 완벽하고 강고하지만, 그가 쓴 노트들처럼 멜로디가 있다.
그 노트들은 또한 형식에서는 분명하지만, 문자들과 단어들
이 없다. 헬게의 진술은 심장에서 나와 심장으로 들어간다. 마
을 사람들은 그에게 듣는 걸 좋아하고, 그의 메시지의 중요한
부분들을 이해한다. 헬게의 진술은 단어 면에서는 부족하지만,
내용 면에서는 풍부하다. 생활에서는 너무 자주 거꾸로다.

2.4 마을에는 두 레이프가 있다

그들은 같은 집에, 같은 방에 산다. 만약 그들이 한 몸이었다면
더 쉬웠을지 모른다.

첫 번째 레이프Leif는 강하고, 스스로 결정하고 즉각적으로
행동하는 남자다. 만약 그의 많은 행동이 나쁘다고 밝혀지지
않았다면, 공상적 사회 개혁론자do-gooder가 그에게 적절한 명

칭이었을 것이다. 그는 현대 세계를 경영하는 사업가들 중 한 명처럼 걷고, 이야기하고, 행동한다. 그는 끊임없이 이야기하고, 모든 마을 문제에 관여하고, 모든 마을 모임에서 발언권을 요청하고, 개혁을 주도한다.

두 번째 레이프는 부드럽게 말하고 수줍어하는 사람이다. 그는 마을 종을 울린다. 여러분은 그에게 의지할 수 있다. 종은 울려야 할 때 그리고 예상한 대로 정확히 울린다. 종소리는 좋다. 레이프가 없으면 비다로슨의 대기에 그와 같은 음악성은 없을 것이다. 그는 온실 안과 그 주위에서 일한다. 조용하고, 빠르진 않지만 기대 이상으로 일한다. 그는 소소한 대화를 좋아하지만, 마을 모임에서 발언권을 요청하지는 않는다.

어젯밤, 첫 번째 레이프는 병으로 두 번째 레이프를 때렸다. 그는 얼굴을 때린 다음, 방에서 도망쳤다. 나는 잠시 후 들어갔고, 두 번째 레이프가 소파 위에 뻗어 있는 것을 발견했다. 그의 두 눈이 항상 초점을 잃고 있다는 것을 나는 알지 못했기 때문에, 특히 나에게는 좋지 않아 보였다. 몇 분 후에 그가 모두로부터 따뜻한 환대를 받으며 일어났다.

만남은 카페에서 이뤄졌다. 일주일에 두 번, 이것은 사교를 위한 장소이다. 하지만 싸움은, 내가 아는 바에 따르면, 결코 일어나지 말았어야 했다. 육체적 폭력 행위는 일반적으로 시골에서처럼 비다로슨에서도 드물다. 육체적 폭력이 발생할 때, 그 충격은 크다. 마을 사람들은 당황했다. 첫 번째 레이프 같은 남자는 마을에 머물 수 없다. 최소한 그는 카페 출입이 금지되고 엄중하게 처벌받아야 한다. 토르Thor는 다음 날 필요한 조치를 할 것을 약속했다. 가해자는 자신이 행한 것과 같은 행동으로 처벌받아야 한다고 제안하며 나도 끼어들었다. 토르는 동의했지만, 우리 모두가 막 떠나려 할 때, 다른 모임에서 자신의 약속을 번복했다.

왜 그런 일이 일어났는가?

아마 우리는 언젠가 심도 있는 대답을 들어야 할 것이다. 하지만 겉보기에는 충분히 단순하다. 즉, 집-부모house-parents가 없었다. 집-부모가 없을 때마다, 첫 번째 레이프는 통제력을 잃는다. 이것은 자연법에 가깝다. 즉,

집에 연결된 전기선 끊기

전화선 끊기

가스관 끊기

그리고 이제 병 공격

나는 다음 날 일찍 그를 만났다. 지난 밤 그를 처벌하겠다고 맹세한 토르는 지금은 간섭하지 않겠다고 나에게 속삭이듯 약속했다. 아마 그는 레이프가 스스로를 고문하는 것보다 더 레이프를 고문할 수 없을 거라고 느꼈을 것이다. 레이프는 끊임없이 중얼거렸다. "난 그걸 하지 말았어야 해… 난 하지 말았어야 해…" 나는 두 번째 레이프가 전처럼 깨끗하고 풍부한 아침 종

소리를 울리지 못하게 될까 봐 두렵다.

2.5 오늘은 카렌의 날이다

카렌Karen은 작고 성가신 아이다. 나는 들에서 오고 가는 길에 종종 그녀를 지나친다. 그녀는 원이 되려는 것처럼 앞으로 구부린 채 오른 손등을 깨물며 농가의 현관 계단에 웅크리고 있다. 그녀의 몸도 그러하고, 그녀의 얼굴도 마찬가지다. 자주 기괴하게 찡그리며, 아주 자주 슬퍼하지만, 드물게 웃음까지 지으며 부끄럽게 인사하기도 한다.

그녀는 우리 집 근처에 산다. 하지만 그녀의 집-부모는 떠났고, 그래서 이번 주말에는 우리와 지낸다.

어젯밤의 모임은 빅뱅으로 끝났다. 우리는 방을 어떻게 새로 꾸밀지 논의하며 모두 거실에 있었다. 토론은 갈등의 가능성을 지닌다. 카렌은 문을 쾅 닫고 거실에서 나갔다.

그리고 다음 날 아침. 일층에서 집-의무들을 수행하였다. 나의 손님은 2층에서 리듬감 있게 원고를 치고 있었다. 새로운 빅뱅이 집을 엉망진창으로 만들기 전까지 모든 게 평화로웠고 열심이었다. 카렌은 정말 거칠었다. 그녀는 문 사이를 뛰어다니며 최대의 소음을 만들어 냈다. 집은 많은 피해를 입었다. 그녀의 몸이 그러한 것처럼, 그녀의 손도 딱딱했다. 내가 그녀의 손을 잡는 걸 그녀가 좋아하는지 싫어하는지는 불분명했다. 그녀의 손이 천천히 풀어졌다. 스르르. 우리는, 보다 정확히 말하면 나는 온갖 종류의 소소한 것들에 대해 말했다. 즉, 바깥에 있는 소나무에서 겨울을 준비하는 작은 새들, 집에 있는 사람들, 그날의 계획들에 대해서 말이다.

마침내 이 모든 소음의 출처에 대한 의문이 떠올랐다. "누가 거기서 그렇게 화를 내는가? 누가 마루에서 발을 구르는가?" (손이 다시 단단해졌다.) "누가 내 머리 위에서 그렇게 거칠게 짓밟는가?"

누구?

카렌을 공포에 몰아넣는 것에 신경을 집중하면서, 나는 그녀가 말한 것의 의미를 알 수 있었다. 나는 내 손님의 타자기 소리, 나무집을 관통하고 지나간 먼 천둥소리를 들을 수 있었다. 그것은 나에게는 창조의 신호였지만, 카렌에게는 극도의 위험을 알리는 경고음으로 들릴 수 있었다.

나는 그녀에게 [그 소음에 관한] 나의 해석을 제시했고, 모든 것이 끝났다.

2.6 달리는 사람

마을에 사는 대부분의 사람들은 움직일 때 조금 느리다. 달리거나 빨리 움직이는 사람을 보는 일은 드물다. 아이들은 달리지만, 어른들의 일반적 경향은 노르웨이어로 일종의 점잖은 걸음걸이를 의미하는 '스크리데skride'를 한다. 이유는 아마 두 가지일 거다. 마을들은 사색하기 좋은 장소들이어서, 생각하며 달리는 것은 그렇게 쉽지 않다. 게다가 많은 마을 사람이 육체적으로 조금 느리다. 또한 종종 육체적으로 장애가 있다. 그들은 속도를 정해 둔다. 장애가 있다는 것이 그들이 그래야만 하는 이유다.

Z는 예외였다. 도착 후 며칠 지나지 않아서부터 그는 어디에나 다녔다. 그는 모든 골목, 대부분의 집 내부를 안다. 하지만 대부분의 사람들은 내부를 그처럼 알지는 못한다. 그는 끊임없이 움직였다.

마을에 사는 아이들에게, 아이들이 그에게 그런 것처럼, 그는 하늘에서 온 선물이었다. 결국, 빠르게 움직이는 성인(그는 23살이었지만 13살로 느낀다고 나에게 말했다), 환상적인 외모를 지닌, 놀이 친구이자 놀이 친구가 아닌, 빠르게 달리는 사람. 도착 이후, 그는 아이들과 잔디 위에서 크게 무리 지어 열광적인 놀이에 몰두했다.

본능적으로 우리는 끼어들었다. 아이들이 너무 격앙되어 있었고, Z 또한 그랬다. 우리는 아이들에게 그만하라고 이야기했고, Z에게 쉬면서 평온을 찾게 했다. 그리고 우리는 그에게 어떤 선을 지켜야 한다고 말했다. 그는 어쨌든 성인이었고, 또한 성인들과 관계해야만 했다. 하지만 그것은 불가능에 가까웠다. 아이들은 그를 찾아 다녔고, 그는 아이들을 찾아 다녔다. 오직 거친 명령을 통해서만 그들을 떼어 놓을 수 있었다.

며칠 후, 우리는 그가 아이들을 추행한 혐의로 고소당했다는 것을 알았다. 그는 근처 감옥에서 재판을 기다리고 있었다. 사회복지사는 비다로슨이 그에게 더 적당한 장소일 것이라고 생각했다.

그는 자신의 지역사회로 돌아갈 수 없었다. 노르웨이는 도덕적 공포의 한가운데 있었다. 어린 소녀가 성적으로 학대받고 살해당했다. 범죄자는 전에도 외설 행위를 저질렀다. 나라 전역에서 공포가 맹위를 떨쳤다. 모든 지역에서, 그리고 물론 비다로슨에서도. 따라서 도착 직후에 Z가 엄마들 중의 한 명에게 저녁 초대를 받았다는 사실이 그를 놀라게 했을 것이다. 전날 밤 그가 그녀 아이들의 침실 벽장 뒤에 숨어 있는 것이 발견되었다. 엄마의 건조한 평은 아이들뿐만 아니라 그녀 역시 새로운 마을 사람을 알아야 한다는 것이었다.

우리는 그의 저녁 행동을 제한하기로 결정했다. 폭동에 가까운 강력한 항의를 차단하며, 우리는 저녁 동안에는 집에 있거나, 만약 어딘가를 가야 한다면 우리의 동료와 함께 가도록 그에게 강요했다. 그것은 4일 동안, 더 정확히 말해 4일 밤 동안 유효했다. 5일째 밤에 그는 카페에서 현금지급기를 열다가 잡혔다.

다음 날은 그의 생일이었다. 그는 집을 방문할 수 있다는 약속을 받았었다. 그의 엄마는 케이크를 구웠다. 그의 할아버지, 할머니도 방문할 예정이었다. 그러나 우리나 생각할 시간이 필요하다고 요구하면서, 우리는 그를 감옥까지 데려다 주었다. 우리가 그에게 말을 했을 때, 그는 말 그대로 움츠러들었고, 우리 또한 그랬다. 그는 감옥에 가는 대신 마을에 머물도록 허용되었다. 그는 그런 지위를 인정받은 유일한 사람이었다. 그래서 그는 감옥으로 갔다가 2주 뒤에 마을로 되돌아오는 것이 허용되었다.

최근에 그의 속도는 느려졌다. 두 가지 해석이 떠올랐다. 첫번째 해석은 우리가 그를 가두고, 길들이고, 둔하고 느린 성인의 한 사람으로 변화시켰다는 것이다. 다른 해석은 그가 더 이상 달릴 필요가 없어졌다는 것이다. 그는 어른으로 변했다.

우연하게도 Z는 손재주가 있다. 고장 난 자전거를 수리하는데 재주가 있다. 또한 우연하게도 마을에는 수십 대의 부서진 자전거가 있다. Z는 요술을 부린다. 우리는 그를 본다. 자전거는 부서진 것에서 탈 것으로 변한다. Z는 더 이상 예전처럼 우리 안의 동물같이 뛰어다닐 그럴 듯한 이유들이 없다. 사람들은 자주 그를 멈춰 세우고, 또 그의 조언을 구한다.

이것은 Z에게 ─ 또는 그와 함께하는 ─ 생활이 쉽다는 것을 의미하지 않는다. 그는 정확히 말해 호감이 가는 사람은 아니다. 사람들이 대체로 화를 낼 정도로 더럽고, 의자에 앉아 있기보다는 탁자 위에 매달리며, 식사 중에는 언어장애인에 가깝고, 자신이 원하는 요리를 주문하기보다는 가리킨다.

진실, 그리고 거짓.

천천히 그의 얼굴에는 새로운 특질이 드러난다. 그는 자신의 샌드위치 위에 치즈를 얹을 때 자랑스러운 듯 약간 웃는다. 우리 중의 몇 명은 육체가 설탕과 잼 그리고 시럽에 덧붙여 어떤 영양소를 필요로 한다는 굳은 신념을 가지고 있다는 것을 그는 안다. 미하엘 엔데Michael Ende의 『끝없는 이야기』(1984)를 들으면서 그는 황홀해한다.

Z가 도착했을 때, 나는 그가 마을에서 4일 정도 머물 것이라 예상했다. 현재 그는 5주째 머물고 있다. 이번 주말, 그는 그의 부모님과 함께 있다. 좋기도 하고 나쁘기도 하다. 그가 여기 주위에서 무대에 올리는 일련의 작은 드라마를 다룰 필요가 없다는 것은 구원이다. 하지만 동시에 그 드라마를 다루지 않는 것은 비현실적(도전의 결핍)이라고 느껴진다. Z는 하루 가운데 대부분은 비현실적인 것들에서 벗어난다.

추신: 그의 마을 생활은 여러 달 지속됐다. 그의 관심은 지속되었고, 소녀들과 어른들에게 과감히 다가갔다. 하지만 곧 그는 너무 자신감을 가지게 됐고, 동시에 너무 많은 소녀들과 연루됐다. 어떤 사람들은 또한 그의 이전 생활에 대해 알게 되었다. 다른 마을로 이사를 감으로써 그는 이 위기에서 벗어났다. 그는 농장에서 상당히 믿을 만한 조력자가 되었다. 주변의 피서용 별

장 몇 채가 습격을 받았을 때까지는…. 현재 그는 감옥에 있다. 마을들이 대처하고자 하는 것과 대처할 수 있는 것에는 한계가 있다. 하지만 그가 풀려나면 우리는 세 번째 마을이 그를 받아 주기를 바란다.

2.7 대처할 것처럼 보이는 사람들

많은 수의 마을 사람들은 마을을 벗어나면 심각하고 분명한 불편을 겪을 것이다. 그들은 다르고, 아마 읽거나 말하거나 또는 돈 버는 것을 할 수 없을 것이다. 그들에게 마을 생활의 대안은 흔히 몇몇 종류의 장애를 위한 시설 또는 특별히 격리된 삶이었을 것이다. 일생 동안.

하지만 마을에 사는 다수는 다른 부류의 사람처럼 보인다. '~처럼 보인다'는 신중한 표현은 조심스럽게 선택된다. 대부분은 마을에 오기 전에 대처할 수 있었다. 떠난 사람은 몇 안 되지만, 떠난 후에 평범한 생활에 대처한다. 그들은 대부분의 사람들이 대처하는 것처럼 대처한다. 하지만 그것은 평범한 생활에 대처하는 것을 의미하는가? 그것은 시설에 수용되지 않은 것과 어떤 관계가 있을까? 또는 그 삶에 대한 만족 정도, 자아실현에 대한 느낌, 목표를 지닌 삶이라는 느낌, 삶은 그래야만 한다는 인식과 어떤 관계가 있을까?

대부분은 마을 생활 이전부터 대처할 수 있었다. 하지만 몇몇은 커다란 문제를 일으켰다. 몇몇은 소동을 일으킨 경력을 지녔다. 국내외를 막론하고 여기저기 전전한 경험을 가진 사람도 있다. 몇몇은 약물을 사용했고, 몇몇은 비극적 환경 때문에 상처 받았다.

외국인들은 마을에서 확연히 드러난다. 그들은 대부분 젊다. 1년 또는 2년 동안 자신을 찾기 위해 해외에서 온 사람들이다. 흔히 그들은 자신들의 모국에서부터 이런 유형의 마을들을 알고 있었다. 하지만 몇몇 사람은 머물기 위해 왔다. 흔히 그들은 해외 마을에서 성장했다. 마을에서 살기 위해 해외에서 그렇게 많은 사람들이 온다는 것은 좋은 일이다. 그들은 그렇게 많은 외부적 사회 네트워크를 가지고 있지 않다. 그들의 사회 에너지는 내부로, 마을 속으로 들어온다. 주위를 돌아보면, 그들은 마을에 사는 다른 사람들과 꽤 오랫동안 함께 살아갈 것이다. 그들은 동일한 장애를 갖고 있을 것이다.

나는 자주 친구들을, 때로는 학생들을 마을에 데리고 왔다. 보통 나는 그들이 누굴 만날지 그들에게 미리 말하지 않는다. 사람들이 마을 곳곳에 퍼져 각자가 속한 집에서 식사하고 커피를 마시며 이야기하면서 마을 사람들에게 받아들여지도록 하는 게 낫다.

나중에 반드시 질문들이 나온다. 누가 누구였어요? 라고. 노란색 옷을 입은 그 소녀, 키 큰 남자, 조용한 사람은 누구였어요? 이 질문 뒤에는 자주 누가 정상인지, 또는 더 중요하게는, 누가 비정상인지를 알려는 바람이 있다.

과거로 거슬러 올라가면, 나는 기꺼이 끼어드는 공범자였다. 나는 대담했다. 나는 의식적으로 마을 사람들을 줄 세우려 했고, 범주들을 만들었고, 누가 정신적으로 지체되었는지 또는 정신이상인지 또는 단지 이상한지 또는 정상적인지를 설명하려고 했었다. 하지만 세월이 지나면서 이런 접근 방식에 대한 관심은 사라졌다. 온갖 생활환경에서 사람들을 알게 되면, 그들을 단순한 범주 안에 넣는 것이 점점 더 어려워진다. 우리가 제한된 범위에서 알 뿐인 사람들이 쉽게 미친 사람, 정신지체자, 약물 사용자 또는 범죄자로 분류될 수 있고, 그리고 행정적 필요는 종종 그런 범주들을 다른 사람에게 강요한다. 이것은 사회적 격리에서, 그리고 시설에서 비용[손실] 중의 하나이다. 하지만 우리가 온갖 상황에 있는 다른 사람들을 알아 갈수록, 단순한 범주들은 더욱더 부적절해진다. 한 소년에게 '비행 청소년' 딱지가 붙여졌지만, 내가 아는 그 소년은 그렇지 않다. 나는 이제 그와 그의 이력, 그의 관대함, 그의 성급한 성격, 그의 비현실적인 낙관주의 — 더불어 이런 것들이 그로 하여금, 정확히 법이 절도죄라고 부르는, 무단으로 '빌리기'를 하도록 만들었는지 모른다 — 에 대해 아주 많이 알고 있다. 그는 도둑질을 했을 수도 있지만, 그를 잘 아는 우리에게 그는 도둑이 아니다. 단순한 범주들은 작은 자물쇠로 변한다. 누구에게나 꽉 막

히고, 엄격하고, 그리 옳지 않은…. 우리가 어떤 사람을 더 알아 갈수록, 이 범주들은 유용하지 않게 된다. 이 범주들은 또한 더욱 위험하게 된다. 범주들은 고착된다. 자신의 환경에 영향을 받는 사람은 자신에게 부여된 역할을 떠맡고, 그가 어떤 사람이라고 낙인찍는 대로 될 것이다.

이러한 시각은 마을들의 설립 규약에 반영되어 있고, 그것은 다음과 같이 기술되어 있다.

> 마을들의 목적은 공동체뿐만 아니라 개인을 돌보는 사회적 형식들을 창조하는 것이다. 여기에서 사람들은 상이한 장애뿐만 아니라 상이한 능력을 가지고 산다. 서로 구별되는 성격을 지닌 온갖 부류의 사람들에게 이 공동의 삶에 참여할 기회를 줄 수 있다. '환자'와 '치료 담당자'란 용어는 적절하지 않다.

마을들의 설립 규약과 마을에서의 삶을 통해 얻은 경험 둘 다에 보조를 맞춰, 이 장에서는 각각의 범주 및 숫자에 대한 설명을 하지 않는다.

그렇더라도 몇몇 구별이 마을에 강요되지만, 항상 뿌리 깊은 저항을 불러온다. 대부분의 마을에서 사용되는 한 가지 구별은 마을 사람 대 협력자이다. 마을 사람들은 대부분 혼자서 대처할 수 없는 사람들이다. 대다수는 국가로부터 몇 종류의 수당을 받는다. 협력자들은 대처할 수 있을 거라 가정되는 사람들이다. 다른 구별은 은행 계좌가 있는 사람과 없는 사람이다. 법에 따르면, 장애 수당을 받는 사람들은 그들 자신의 사적[개인적]인 소비를 위해 그 수당 가운데 얼마의 몫을 가져야 한다. 그래서 그들 모두는 은행에 얼마의 돈을 가지고 있지만, 반면에 협력자들은 어떤 사적인 돈도 가지고 있을 필요가 없다.

하지만 이 구별은 불명확하고, 비논리적이고, 좌절과 혼란의 끊임없는 원천이다. 마을에 사는 사람들은, 밖에서 살 수 있는 그들의 능력과 상관없이, 모두 마을 사람들이다. 그리고 모두 협력자들이다. 어느 편이냐 하면, 마을 사회에서 사람들의 생각은 지위와 기능[역할]의 유사성을 강조하지, 차이를 강조하지 않는다.

불명확하고 비논리적인 구별이지만, 그 구별은 마을들이 우리 유형의 사회에서 작동하는 한 피하기 어렵다. 차를 운전할 수 있다. 하지만 누구나 할 수 있는 것은 아니다. 전화기를 사용할 수 있다. 마찬가지로, 사용할 수 없는 사람이 몇몇 있다. 돈은 교환된다. 어떤 사람들은 다른 사람들보다 훨씬 더 쉽게 교환한다. 어떤 이는 여러 달 동안 연속해서 인형 안을 털실로 채워 넣고, 어떤 이는 소를 빗질하고, 어떤 이는 종을 울리고, 어떤 이는 편지를 쓴다. 마을들은 대부분의 사람들에게 맞는 수준에서 기술을 유지하는 데 많은 에너지를 쏟는다. 하지만 온갖 복잡한 것을 다 해결할 수는 없다. 따라서 일반 사회에서 타당한 요구들이 마을 사회에도 이식된다. 평등에 관한 생각과 상관없이, 어떤 기본적인 차이들이 계속된다. 범주별로 생각하려는 경향이 다시 나타난다. 우리는 마을 사람과 협력자를 구별한다. 또는 은행 계좌가 있는 사람과 없는 사람을 구별한다. 먼저 조건이 나타나고, 개념이 뒤따른다. 하지만 이 마을 공동체들은 내가 아는 어떤 다른 현존 사회 체계보다 이러한 구별들을 적게 가지고 있고, 차이들은 마을에서 거주한 기간이 길어짐에 따라 감소한다. 자주 표현되는 이상은 마을 사람이 되는 것이다. 모두가 마을 사람이 되는 것.

이 마을들은 통상적인 진단용 범주들을 깨는 그러한 식으로 건설되며, 더욱이 이것 또한 설립 규약에서 표현된 의식적인 희망이라고 말함으로써, 우리는 실상 이 마을들이 어떤 종류의 현상을 나타내는지를 더 일반적으로 이해하는 첫 걸음을 내디뎠다. 우리는 그 마을들을 사회학적 세계 지도 위에 위치 짓는 첫 번째 가능성을 얻었다.

이 지도에는 두 개의 대륙이 있다. 하나는 서로 관계하는 사람들로 이루어진다. 사회생활, 상호 의존, 코뮌들, 사회들과 관계해야만 한다. 또한 분명한 대비보다는 미묘한 차이에, 안정보다는 변화에, 그리고 모호함과 의심에 자주 대처해야 한다. 이 대륙은 셈과 통계에 잘 맞지 않는다.

사회학적 세계 지도에서 두 번째 대륙은 집단보다는 범주로 구성되고, 주요한 미덕으로서 명료성과 책임감을 지니고 있다.

따라서 통계에 어울리는 대륙이다. 하지만 통계는 단지 계산 체계가 아니다. 그것은 또한 사유 체계이다. 어떤 사유 방식을 미리 전제하고, 또한 생각에 영향을 끼친다. 통계적 행동들은 이미 존재하는 것을 묘사할 뿐만 아니라 새로운 현상을 창조하는 데 능동적으로 기여한다. 계산할 수 있기 위해, 현상은 다른 모든 현상으로부터 구분된 범주들로 정돈되어야 한다. 그러한 범주들로 정돈될 때, 현상들은 또한 시설이나 심지어 국가 같은 대규모 조직들에 어울리는 방식으로 정돈된다(Østerberg, 1987, pp. 87-96. 그리고 1988, pp. 18-44).

하지만 이 장 전체는 다른 사회적 대륙 위의 생활을 묘사해 왔다. 우리는 분류하기 쉽지 않은 사람들로 이루어져 있는 체계를 묘사해 왔으며, 거기에는 쉽게 분류하지 않으려는 의지가 있다. 많은 것이 끊임없이 변화한다. 그리고 그것들은 전문가들, 통상적인 조직들과 정부가 가장 중요한 차이들을 찾는 데 익숙한 속성들 측면에서 보면, 비슷해 보인다. 따라서 마을의 첫 번째 특징을 우리는 이렇게 결론 내릴 수 있다. 마을들은 국가의 계산 체계에, 즉 통계에 맞는 범주들로 만들어지는 것에 대해 예외적으로 강하게 저항하는 유형의 사회생활을 촉진한다. 푸코(Foucault, 1977)의 정신에서 보면, 이 마을들을 국가 범주화[분류 체계]의 헤게모니에 반대하는 작은 둥지들로 볼 수 있다.

3. 가정

다섯 개의 마을이 있다. 다른 풍경, 다른 기후, 다른 사람들이 있다. 아주 다른 지역 문화에 뿌리 내린 다섯 마을이다. 그렇지만 유사하다. 한 마을에 있으면, 모든 마을에 있는 것과 같다. 각 마을마다 자신의 스타일, 트레이드마크, 자부심을 가지고 있으므로, 완전히 맞는 말은 아니다. 하지만 여전히 유효하다. 당신이 한 마을에서 다음 마을로 간다. 문을 연다. 그곳에서도 집에서처럼 편안할 것이다.

이 유사성에는 많은 이유들이 있고, 그 이유들은 이야기를 하면서 밝히고자 한다. 맨 처음의 유사성은 평범하지 않은 사람들이 이 집들에 아주 많이 있다는 사실 때문이다. 게다가 마을 생활의 몇몇 기본 원칙들 — 지역 문화보다 더 강한 원칙들 — 이 있고, 사람·기후·풍경에서의 차이들이 있다. 유사성은 가정생활의 스타일, 노동[작업]생활의 스타일, 문화생활의 스타일과 관련 있다. 그리고 돈과의 무관함과 관련 있다. 그렇지만 가정에서 시작해 보자.

3.1 공동생활

바보, 미친, 나쁜. 그것은 마을에 사는 대부분의 사람들이 지닌 특성일 것이다. 게다가 단지 마을에 사는 걸 더 좋아하는 몇몇 다른 사람이 있다. 아마 그들은, 대체로, 평범하거나 때론 그렇지 않을 수도 있다. 우리는 아직 그들의 특색을 알아내지 못했을 수 있다. 어쨌든 이 마을들은 가장 극단적 편차를 지닌 장소이다. 어떤 사람들은 위험하다고 작은 방에서 수년 동안 감금되어 있다가 마을에 왔다. 어떤 사람들은 삶에서 의미를 찾고 싶어서 마을에 왔다. 그들 중 일부는 그것을 찾는다. 어떤 이들은 그 모든 걸 증오하고 기회가 닿는 대로 떠난다.

　하지만 머물게 되면, 그들은 모두 온갖 부류의 사람이 존재하는 한 가구 안에서 살 것이다. '능력' 또는 '정상성'에 따른 분리[차별]는 없다는 것이 이 마을들의 기본 원칙이다. 각 가구에는 그리 평범하지 않은 사람들뿐만 아니라 평범한 사람들도 함께 살고 있다. 대부분의 사람들은 분리된 [각자의] 방을 가지고 있지만, 특유한 습관을 가진 사람들을 분리하는 벽은 없다. 소음으로부터 보호받을 필요가 있는 일부 사람들은 구석진 방을 받을 것이다. 분리는 거기까지다.

모든 공용 방을 사용할 때에도 동일한 원칙이 적용된다. 공용 방들은 모두를 위한 것이다. 그리고 이것은 가정 활동에서 가장 중요한 일인 식사를 할 때 쓰인다. 집에는 모든 사람이 함께 어울릴 수 있는 큰 테이블이 하나 있다.

집-엄마house-mother나 집-아빠house-father는 흔히 테이블의 상석에 앉아 모두가 필요로 하는 것을 가질 수 있도록 노력한다. 유아들은 흔히 그들의 부모 가까이에 앉는다. 일부 부모들은 어떤 때는 개인 방에서 자신들의 아이들과 식사를 할 수 있다. 유아들은 특별한 주의를 필요로 한다. 테이블이 너무 크기 때문이다. 일부 연장자들은 혼자 아침 식사를 한다. 과도한 사회생활에 대한 보호책이다. 하지만 이것들은 드문 예외이다. 통상적인 장치는 큰 테이블, 완전한 어울림, 그리고 모든 사람들 사이의 대화이다. 때때로 대화는 두세 사람 사이에서 이루어지는데, 아마 다른 이들이 같이 할 수 없는 주제이기 때문일 것이다. 일부 집에서 이것은 통상적이다. 하지만 사회생활 일반에서처럼, 공용 방에서 외따로 있으려고 하는 행동은 예의 없는 것으로 보이고, 따라서 사람들 눈살을 찌푸리게 한다. 기준은 전원 참여이다.

모든 집에는 그 집에 대해 특별히 책임지는 한 사람이 있다. 그는 거의 언제나 장애의 표시인 연금을 받지 않는 사람이다. 하지만 여기 역시 예외가 있다. 명백하게 장애가 있는 일부 사람들이 일부 집에서 주요한 책임을 진다. 책임진 사람들은 "집-엄마" 또는 "집-아빠"로 불린다. [그들 중] 어떤 이들은 부부이기도 하고, 또는 자신들의 아이들도 있다.

아침 식사 후, 모두 — 집-엄마나 집-아빠를 제외하고 — 는 다른 곳으로 일하러 떠난다. 때때로 집-아빠나 집-엄마도 최소한 반나절 동안 집을 떠나 있다. 하지만 몇 사람이 다른 집에서 온다. 집안일 — 청소와 요리 — 은 일로 정의되고, 다른 집에서 온 어떤 이들에 의해 수행된다. 일하는 곳과 생활하는 곳을 분리하는 것은 중요한 것으로 보인다.

정오쯤, 집은 다시 꽉 차고, 저녁에는 문화 활동이 시작된다. 토요일 오후와 일요일은 집에서 근사한 활동을 하는 날이다.

이것은 일상을 조직하는 조화로운 방법으로서, 잘 배열되고, 예상 가능하며, 평화롭게 들리지만, 그렇지 않다. 평범한 토요일에 평범한 협력자의 시각에서 본 한 집에서의 하루를 묘사해 보자. 그 상황의 유일한 예외적 모습은 그날(토요일)에는 집에 집-아빠와 집-엄마가 없다는 것이다. 생활을 묘사해 보자.

…A가 이른 아침부터 복통을 호소하며 아플 때,

…B가 그의 방이나 계단을 청소하지 않을 때,

…C가 성경 읽기를 준비해야 하지만, 그녀의 시간을 B의 방에서 보낼 때,

…D가 B를 위해 계단 청소의 일부를 맡기로 하지만, B가 자신의

힘을 증명하려고 청소기의 관을 너무 단단하게 묶어 놓았기 때문에 진공청소기를 작동시킬 수 없을 때. 그리고 나 역시 그리 강하지 않다.

…A가 복통을 심하게 호소하며 더 안 좋아질 때, 아마 그는 죽을지도 모른다. 그런데 나는 간호사의 이름도, 그녀의 집도 기억하지 못한다.

…운 좋게 협력자가 잠깐 들르고 나에게 그 이름을 이야기하지만, 지금 전화기는 고장 났고, 다른 전화기는 사라졌다.

…그리고 A는 복통을 더욱 호소하고, B의 방 밖에 있는 C가 나타나 나에게 그녀가 막 삶기 시작한 달걀의 시간 조절을 부탁한다. 그리고 나는 B를 움직이게 하지만, 간호사가 도착해 카밀레 차를 주문한다. 그리고 그 집에는 그러한 차가 없다. 나는 E에게 이웃집으로 가 조금 빌려오라고 말하지만, 읽지 못하는 E는 이웃집으로 달려갈 필요가 없다는 것을 증명하기 위해 우리에게도 카밀레 차가 있다고 주장한다. E는 내가 차를 빌리러 달려가기 전에 그가 보았던 차 20상자를 나에게 끌고 오며, 나는 차를 받지만 삶고 있는 달걀을 까먹는다. 그래서 C가 나에게 불같이 화를 낸다.

…간호사가 A의 방에서 내려와, 그가 크게 웃는다고 말한다. 그가 필요로 했던 것은 얼마간의 각별한 관심이었다.

그리고 달걀은 그다지 나쁘지는 않은 것으로 판명되었고, 그래서 나는 용서 받는다.

그리고 D는 진공청소기를 사용해 계단을 청소했다는 것에 행복해한다.

그리고 B는 실제로 자신의 방을 청소했다.

그리고 생각해 보건대, 나는 C가 아이를 가질 수 없다는 말을 들었다. 그래서 난 아마 초콜릿을 나누는 것에 불과한 로맨스의 가능한 그 구체적 결과에 대해 신경 쓸 필요가 없다.

그리고 내가 A를 방문했을 때, 그는 여전히 크게 웃으면서, 한 손은 나의 손을 아주 단단히 쥐고 다른 손은 자신의 이마 위에 얹은 채, 나를 의자 안으로 밀어 넣을 정도로 충분히 강하다.

…마을에서 저 일상적인 날들 가운데 또 하루.

3.2 한 방울도 흘리지 않고[1]

이 집들에서 테이블 주위의 대다수 사람들은 언어장애가 있다고 여겨진다. 나는 수년 전 이 마을들 가운데 한 마을에 새로 왔을 때인 어느 날 저녁 식사 시간을 기억한다. 그 테이블에는 대략 열 사람이 있었다. 비다르Vidar는 우리에게 차를 더 원하는지 물어봤고, 조용히, 어지럽히지도 않고, 한 방울도 흘리지 않고 대접했다. 정신적으로 박약하다고 지칭되는 것 외에도, 비다르는 시각장애인이다. 하지만 이야기의 요점은 지적장애로

----

1. 나는 내 책 『형벌의 한계Limits to Pain』(1981)에서 이 에피소드를 묘사했다.

분류된 시각장애인 비다르가 차를 대접했다는 것이 아니다. 요점은 테이블에 있던 사람들의 행동이다. 비다르가 차를 대접하는 것은 당연했다. 자신감 있는 분위기였다. 나는 테이블 꾸미는 일을 특별히 책임지고 있던 이의 얼굴을 꽤 유심히 관찰했는데, 방해도 하지 않았고, 나중에 이러쿵저러쿵 말하지도 않았다. 이것은 계획의 결과가 아니었다. 나는 다음 날 오랫동안 알고 지낸 사람한테 물었다. 일부러 한 것도 아니었으며, 가구 안에서 결코 논의되지도 않았다고 그는 강조했다.

테이블 주위에 둘러앉아 있던 사람들에 비추어 (내가 볼 수 있었던) 유일한 위협은 너무 많은 조력자들이 있었다는 것이다. 그들은 전문가도 아니지만, 이 공동체에서는 일상생활에서 그들의 전문가로서의 능력조차도 금하고 있다. 하지만 공상적 사회개량가들이다. 이것은 아주 현실적인 위협이다. 젊은 사람들은 이 공동체에 끌린다. 그들은 자신들의 삶의 본분을 찾아 공동체에 참여하려고 줄을 서서 기다린다. 많은 이들이 비다르에게서 찻주전자를 빼앗아 갈 수 있다고, 그리고 아마 가구 안에서의 그의 중요한 일, 즉 접시를 말리는 일에서 그를 밀어낼 수 있다고 쉽게 생각했을 것이다. 그는 가구 밖의 그의 다른 직무에 더하여 하루에 한 번 그 일을 한다. 비다르와 다른 사람들을 보호하기 위해 식기세척기를 들여오지 않고 있다. 또한 그를 보호하기 위해, 그렇지 않으면 너무 많은 도움을 주고 싶어 하는 일부 젊은이들은 전에 지적장애인이라고 선언된 사람들, 정신이상자, 시각장애인, 지체부자유자가 전혀 없는 게토에서 자신들의 식사를 하도록 강요받는다. 달리 말하면, 상황은 정확히 뒤집어졌다. 젊은이들이 장애인이 되었다. 다른 사람들을 보호하기 위해 장애인이 되었다.

그리고 젊은 사람들은 그것을 안다. 그들은 접근하려 하고, 전체에 가까워지려 하며, 중요한 질문들에 대해, 온갖 다양한 인간 가운데서 온갖 종류의 선생을 얻으려고 한다.

이것은 끊임없는 투쟁이다. 적어도 세 번, 비다로슨은 격리된 집들, 즉 젊고 아마도 장애가 없는 사람들만이 사는 집, 또는 보통 사회에서 짧은 기간 동안 방문한 사람들이 사는 집, 또는 휴식이 필요한 보통 사람들이 얼마간의 평안을 얻을 수 있는 집을 만들려고 시도했다. 하지만 그것은 제대로 기능하지 않는다. 젊은 사람들은 [멋대로 하게 되자] 훨씬 더 유치해졌다. 단기 방문자들은 혼자서는 있으려고 하지 않았다. 휴식이 필요한 사람들은 휴식이 진정 무엇을 의미하는지 의심하기 시작했다. 목소리와 미소가 없는가? 눈물조차 없는가? 마을 생활에서 얻는 하나의 경험은 이것이다. 즉, 마을에 살고 있는 이들의 변화의 폭이 너무 좁아지면 가구는 시들해진다. 그리고 사람들은 그들 자신의 문제와 사적인 비참함에만 빠져 시들해진다.

3.3 중요하지만 극히 중요한 것은 아닌

마을들에서의 가정생활은 북서유럽에서의 통상적인 가정생활
보다 아마 덜 중요할 것이다. 공용 방은 그다지 정성들여 꾸미
지 않았다. 가재도구는 통상적인 스칸디나비아 표준보다 조금
떨어지는 것이고, 사생활의 일부 작은 상징들은 통상적인 정도
로 풍부해 보이지 않는다. 물건의 수는 일찍이 [유럽] 남부에 있
는 나라들에서 발견된 수준에 비교하면 더 많고, 그 이유의 일
부는 아마 동일할 것이다. 적어도 최근까지 유럽 남부에서는 더
많은 시간을 공적인 토대에 썼다. 기후, 물질 자원, 사회조직은
이것을 자연스럽게 만들었다. 비다로슨과 다른 마을들에서 공
공건물의 풍부함은 북쪽의 기후적 장애를 보충하고, 소비주의
에 부정적인 태도는 방에 과다한 물건들을 두는 걸 제한하고,
동시에 사회조직은 사람들을 가정 밖으로 나가게 한다. 게다가
사생활의 자유가 덜 중요해진 것은 가정의 벽 뒤에 숨겨진 삶과
자주 관련된다.

3.4 고독에 대하여

마을들에 있는 이런 가정들의 한 곳에 있으면서 그 생활을 즐
기는 것은 좋은 가정생활에 대한 기준 문제를 제기한다. 가정

은 배터리를 재충전하는 장소, 재창조를 위한 성, 또는 어쩌면 창조를 위한 장소인가? 가정은 목표, 또는 과정의 일부인가? 그리고 혼자 있고, 다른 활동 영역의 삶에서 받은 인상을 음미하고, 누군가의 상처를 어루만지며, 치유하는 특권들에 대해서는 어떤가?

고독solitude에 대한 욕구는 종종 마을 방문자들에 의해 표출된다. "어떻게 당신은 혼자 있지도 못하고, 당신 친구와만 있을 자유도 없이, 항상 사람들과 어울리는가?"

아마 그에 대한 설명은 상대적으로 허세(겉치레)가 없다는 것과 관계가 있다.

이 유형의 마을들에서 사는 꽤 많은 사람들은 그들이 누구이고, 무엇을 생각하는지를 숨기는 데 특별히 유능하지는 않다. 그래서 그들은 보통 이상으로 정직함을 드러낸다. 게다가 사회조직이 있다. 이어지는 장들에서 다루겠지만, 이 마을들은 사회생활의 대부분의 영역에서 모두가 끊임없이 서로에게 노출되는 유형에 속한다. 그들은 가정생활에서부터 일을 통과하여 문화와 여가에 이르기까지 서로를 안다. 마을 안에서 다른 이들에게 제시되는 총체적인 모습은 온갖 종류의 생활 조건에서 서로 무한히 마주친 것의 결과이다. 이것은 일관성을 향한 추진력을 나타낸다. 이것은 단지 한 특수한 센터 안에서만 알려져 있고 다른 섹터들에서는 감춰진 생활을 하는 역할 수행자들에게 거의 여지를 남기지 않는다. 대신 우리는 개성 있는 사람들과 특징 있는 사람들을 만난다. 그들은 모습을 보이는 어디에서나 일관된 행동을 하는 사람들이다. 이 상황에서 가정생활은 다른 특징을 갖는다. 극단적인 예로서 "내 가정은 나의 성城"이라는 요구와 고독으로 은폐된 삶의 추구 뒤에는 아마 가식적인 삶의 형식 속에 있는 가정을 벗어난 삶의 현실이 있을 것이다. 가정은 본연의 자기가 되기 위해 가면을 벗는 장소가 된다. 고독은 사적인 모습과 공적인 모습을 조화시킬 공간과 시간을 창조한다. 그렇지만, 주민 유형과 조직 유형 때문에 마을 생활이 최소한의 겉치레마저 닳아 없어진 생활이라면, 왜 고독이 압도적으로 중요해 보이지 않는지를 이해하는 것 또한 가능하다. 대부분이 알려져 있다. 감출 것이 그리 많지 않다. 따라서 다른 사람들 사이에서 자연스럽게 행동하는 것이 더 쉽다. 통상적으로 고독과 연관된 자유를 다른 사람들이 있는 데서 경험하는 것이 가능하다.

이 해석은 또 다른 경험에 더 많은 의미를 부여할 것이다. 즉, 내가 여러 부류의 평범하지 않은 사람들, 특히 지적장애인이라 불리는 사람들, 또한 미쳤다거나 아주 나쁘다고 하는 꽤 많은 사람들과 많은 시간을 보내는 일이 나의 생활에서 일어났다. 시간이 흐르면서, 나는 그런 부류의 사람들과 함께하는 걸 더 선호하고 있다는 것을 안다. 그리고 나는 내가 여기에서 혼자가 아니라는 것을 안다. 지체되고, 미치고, 아주 나쁘다고 상정되는 사람들은 공통적인 어떤 것을 가지고 있다. 일탈이 아닌 일관성이다. 그들은 — 보통 사람들보다 더 — 겉치레가 많거나 적다. 경계에 있는 사람들은 정반대일 수도 있을 것이다. 그들은 정상적이라고 여겨지기 위해 투쟁한다. 하지만 잘못된 쪽에 견고하게 서 있는 사람들은 예외적으로 매력적인 신빙성을 지닌다.

노라는 정신병원에 관한 세미나에 아주 활발하게 참여한 뒤 그 주에 쓰러졌다. 그녀는 극단적으로 상처받기 쉬운 그 장소에서 분명히 풍부한 경험을 했을 것이다. 그녀는 그 세미나를 혼란에 빠트렸고, 그 혼란 상태는 얼마 동안 지속되었다. 그 세미나 다음 날, 그녀는 짧은 휴식을 위해 병원으로 갔고, 허세 없이, 갑옷 없이 다시 나왔으며, 나 역시도 허세를 벗어 버리게 되었다. 그런 방문자들은 사무실에서 일종의 평화, 즉 벽 속에 둘러싸여 있는 평화를 창조한다.

진실, 그리고 거짓[위의 일은 진실이지만 정확하지는 않다]. 나는 노라를 모른다. 나는 결코 모를 것이다. 나는 마을에 사는 이들을 모르고, 물론 나 자신도 모른다. 아마 이것은 존경과 관계가 있을 것이다. 이 마을들에서 사는 것은 사람들을 있는 그대로 받아들일 수 있는 비상한 여지를 준다. 이것은 서로에 대해 모든 것을 알지 않을 관용을 포함한다. 모든 타인들처럼 되려는 요구가 적은 상황에서 고독에 대한 욕구는 감소된다. 예외적인 사람들은 자신들을 알게 되는 사람들 주위뿐만 아니라 자신들 주위에도 공간을 창조한다. 캠프힐Camphill 마을들은 그 과정을 돕는 데 특히 어울리는 사회 체계들이다. 그들은 친밀함을 위한 공간, 외로움loneliness 없는 고독을 위한 공간을 창조한다.

3.5 애정생활

초판에는 이 절이 포함되지 않았다. 비판적인 동료들의 다음과 같은 문제 제기로 인해 나는 이 절에 특히 주의를 기울이게 되었다. 즉, 당신의 원고를 읽으면, 마치 가정에서의 생활이 비밀이 없는 생활같이 들린다. 특히 성생활이 없는 것같이 들린다. 마을에서 사랑과 감각적 쾌락에 대한 충동이 사라졌다면, 이 가정들에서는 무슨 일이 일어나는가?

내가 빼먹은 것은 그 자체로 하나의 발견이다. 그것은 마을들이 비교적 통상적인 삶의 장소라는 사실을 반영한다. 거기에는 많은 다른 장소보다 허세가 적지만, 또한 사생활과 부끄러움이 있다. 마을에 사는 사람들의 애정생활에 대해 질문하는 것은 자연스럽다고 느껴지지 않는다. 내가 오슬로에 있는 내 이웃들과 친구들의 성생활에 대해 많이 알지 못하는 것처럼, 나는 마을들에서의 성생활에 대해 많이 알지 못한다. 마을은 시설이 아니다. 볼 수 있는 것에는 한계가 있고, 시설에서 그렇게 자주 발견되는 회계 제도 같은 것도 없다. 사람들은 사랑에 빠진다. 많이는 아니지만, 일부 사람은 함께 움직인다. 몇 사람

은 더 조심스럽게 함께 살고 있다. 나는 혼자 사는 많은 사람
이 자위를 통해 섹스를 즐기고 있다고 생각한다. 나는 묻지 않
았다. 나는 오슬로의 내 이웃들에게도 묻지 않았다. 다른 곳에
서와 마찬가지로, 비다로슨에서도 불안정한 관계는 있다. 어떤
사람들은 드러내 놓고 공동 규범을 어기거나 공동 비난에 처
할 행동을 하면서 아주 많은 갈등을 불러일으킨다. 마을에 사
는 몇몇 사람들은 바라는 것을 실현하는 데 다소 느리다. 이것
은 장애가 있다고 생각되는 사람들 사이에서 임신이 적은 이유
일지 모른다. 하지만 여러 사람이 피임약을 사용한다. 오슬로
에서 반 이상의 여성이 일생에 한 번은 낙태를 경험해 봤다. 나
는 내 이웃 중에서 누가 낙태를 하고 누가 하지 않았는지 모른
다. 나는 질문하는 데 자유로움을 느끼지 않는다. 나는 비다로
슨에서도 질문하는 데 자유로움을 느끼지 않는다. 그러한 것에
대해 질문하는 것은 나의 체면과 그들의 체면을 손상하는 일일
것이다.

하지만 공용 방은 모두에게 허용된다. 거기에서 나는 구드룬
Gudrun, 새로운 구드룬을 보았다. 몇 개의 기둥 뒤로 지나가면
서 힐끗 봤다. 그녀는 너무 새로웠다. 확실하지 않았지만, 그녀
일 수 있었고, 다시 봤을 때, 맞았다, 그녀는 구드룬이었다.

그녀는 비다로슨에 온 첫 번째 마을 사람이었다. 그녀의 오
빠는 그녀를 도와 마을을 설립한 사람들 가운데 한 명이었다.
그녀는 그곳을 좋아했지만, 생활은 완벽과는 멀었다. 그녀는

마룻바닥 닦기를 잘했지만, 모든 것이 어느 정도 화난 상태에서 이루어졌다. 중얼거리고, 시끄럽고, 자글자글 주름진 얼굴, 마녀에 가까운 외모, 불안의 기운.

  이것이 그날까지 기둥 뒤에 있던 구드룬이었다. 완전한 변화였다. 이해할 수 없는 평화. 얼굴은 기쁨으로 빛났다. 구드룬과 요한네스Johannes. 이것은 두 마을의 합동 만남에서 바로 일어났다. 요한네스는 다른 마을에서 왔다. 그는 덩치는 컸지만 다소 느렸다. 요한네스는 그들이 만나고 바로 그 다음 주에 여행가방을 쌌고, 구드룬의 마을로 이사왔다. 다음 해, 그들은 주간지에 나오는 이야기처럼 알프스를 막 지나는 비행기 안에서 반지를 교환했다. 하지만 더 현실적인 결말이 있다. 즉, 지금 그들은 두 방에서 나란히 살며 많은 시간을 함께 보내지만, 그 시간의 상당 부분을 다소 시끄러운 갈등 속에서 보낸다. 나는 그들의 내밀한 생활의 성격을 모르며, 앞으로도 묻지 않을 것이다. 하지만 나는 그들이 만난다는 사실에서 기쁨을 공유하며, 그 관계가 깨질지도 모른다는 마을 사람들의 공통 관심사도 함께 지니고 있다.

4. 일

4.1 위험한 도구

희귀종은 항상 멸종 위험에 처해 있다. 현대 세계에서 마을들은 특별한 위험 속에 있다. 그들은 드물고 서로 떨어져 있다. 그들은 여러 가지 점에서 지배 문화와 심각한 대비를 이룬다. 그들은 외부 세계에서는 '명백한' 것에 대항해 그들 자신을 보호하기 위해 엄청나게 많은 성찰과 자기 통찰력에 의존한다. 세 유형의 도구에 대한 이야기를 함으로써 이것을 설명해 보자. 이 도구들은 산업화된 세계의 대부분 지역에서 당연한 것으로 여겨진다. 마을 사람들에게 그것들은 큰 문제들을 나타낸다. 첫째, 패배의 이야기.

지역 전화

한때 비다로슨에는 두 명의 우체부가 있었다. 그들은 특별한 모자를 쓰고 우편가방을 든 중요한 사람들이었다. 그들의 자부심은 대단했다. 그들은 위엄 있게 우편물을 중앙 박스에서 각 집으로 배달했다. 게다가 그들은 내부 우편물도 배달했다. 메시지의 흐름은 그들의 신뢰도에 달려 있었다. 그들이 없으면 마을은 곤란해졌다.

오늘날 그들은 예전과 동일한 사람들이 아니며, 같은 작업을 하는 동일한 창조자들이 아니다. 그들의 임무의 반은 전화기에 빼앗겨 사라졌다. 내부 전화 체계가 만들어졌다. 이것에 대한 계획은 이사회 모임에서 언급되었다. 강한 저항이 일어났다. 그럼에도 불구하고 몇 년 뒤에 이사회 통과 없이 전화기가 들어왔고, 그것은 그들의 일의 일부를 빼앗아 갔다.

다시 강한 저항이 일어났다. 얼마 동안 저항자들은 최신 체계가 사용되는 것을 금지시킬 수 있었다. 전화기는 설치됐지만, 사용하지는 않았다. 하지만 허사였다. 이 책이 출판될 즈음, 새롭고 능률적인 전화 체계를 이용할 수 있었다. 전화 체계가 너무 복잡했기 때문에, 최초의 사용 설명서는 기본적인 요점을 놓쳤다. 이것은 모두에게 조급한 마음을 느끼게 했다. 새로운 사용 설명서는 이것을 바로잡았고, 선택된 소수에게는 커뮤니케이션 도구를 제공할 것이다. 사회적 결과는 3가지다. 즉,

일을 잃었다. 그들과 우리 사이의 차이를 분명하게 보여 주는 상황을 만들었다. 그리고 중요한 것은, 지역 전화는 도로와 길을 벗어나 있는 사람의 숫자가 어느 정도 감소하는 것을 의미한다. 메시지를 가지고 이웃으로 짧은 여행을 하는 대신, 전화가 사용된다. 편리하고, 그리고 나중에 우리가 볼 것처럼, 사회적으로 위험하다.

식기세척기

20년 동안 식기세척기를 둘러싼 전쟁이 있어 왔다. 위생 문제들은 보건시설에서 가장 우선시 된다. 애초에 마을들은 보건부에 속하는 것으로 규정되었다. 마을들은 의사와 간호사 들의 영토였다. 보건부 직원들은 세균과 싸웠다. 식기세척기는 좋은 살균기이다.

하지만 식기세척기 또한 일을 없앤다. 어떤 유형의 일은 마을의 많은 사람들에게 잘 맞았고, 또한 싱크대 주위의 사회생활에 잘 맞았다. 하지만 그것은 어려운 작업이다. 모든 접시가 보건부의 모든 표준에 항상 맞춰져 있지는 않다는 것을 인정해야 한다. 보건감독관이 도착할 때, 마을에는 경고음이 울린다. 지역 전화가 실제로 사용되고, 포크와 주전자에 긴급하게 주의를 기울이지만, 지나친 세균량이 여전히 기록된다.

마을의 일반적인 견해는 살균된 주위환경이 위험할지도 모른다는 것이지만, 몇 가지 타협안을 받아들였다. 마을의 카페는 특히 많은 손님들에게 봉사하는 장소이다. 손님들은 지역의 박테리아 종에 적응돼 있지 않다. 여기서는 식기세척기를 받아들인다. 하지만 집들에서는 받아들이지 않는다.

농기구

마을에서 농장은 생명 역학 원리에 따라 운영된다. 기본적으로, 이것은 사람들이 자연을 잠재적 적이 아닌 협력자로 만들려고 한다는 것을 의미한다. 농사를 짓는 것과 정원을 돌보는 것은 자연에 대항한 싸움이 아니라 협력적인 노력이다. 자연은 관찰되고 연구되고 이해돼야 하며, 인간이 원하는 더 많을 것을 주도록 돕는 것이어야 한다. 농약은 금지된다. 대신 사람들은 잡초나 원하지 않는 다른 병균을 막는 자연 자체의 방어 체계를 강화하기 위해 노력한다. 인공 비료 또한 금지된다. 대신 퇴비가 최대한도로 사용된다. 생물학적 농사와 생명 역학적 농사의 차이는, 후자는 동종요법[1]에서처럼 잠재화된다고 여겨지며, 겨울이나 그 이후에 들에 뿌려 특별한 과정에서 활성화되는 어떤 실체들에 의존한다는 것이다. 생명 역학적으로 농사짓는 사람은 또한 지난날의 농장 일정표에 세밀한 관심을 기울인다. 씨

---

1. 많이 쓰면 건강체라도 환자와 비슷한 증상을 일으키는 약제를 환자에게 조금씩 써서 치료하는 방법: 옮긴이.

를 뿌리는 것은 달과 별이 최적의 위치에 있을 때 해야 하고, 그 시기는 씨앗 형태에 따라 다르다.

이 책은 사회 체계로서 마을들에 관한 책이지 농사에 관한 책이 아니다. 우리의 질문은 "어떤 종류의 농사가 가장 좋은 곡식 또는 우유를 만들어 내는가?"라는 유형이 아니다. 우리의 질문은 "다양한 영농 형태의 사회적 결과는 무엇인가?"이다.

생물학적 농사와 생명 역학적 농사는 다음과 같은 공통점이 있다. 즉, 이 농사법들은 지렁이에게 좋다. 지렁이는 토양을 좋은 상태로 지키는 동맹자로 여겨진다. 하지만 이것은 어떤 종류의 장비를 지렁이보다 더 중시할 수 있는가에 영향을 미친다. 그것은 경장비여야 한다. 그렇지 않으면 토양은 장비로 가득 차게 될 것이고, 애벌레들은 이용가치가 없어질 것이다. 그리고 농약은 금지돼야 한다. 농약은 잡초뿐만 아니라 애벌레들도 죽일 것이다. 경장비는 흔히 사람의 힘[인력]뿐만 아니라 진짜 말의 힘[마력]도 필요하다는 것을 의미한다. 농약의 사용 금지는 때때로 잡초가 무성하게 자라는 것을 의미하고, 다시 사람의 힘이 유일한 대안이라는 것을 의미한다. 좋다. 대개의 다른 건강한 사람들만큼 그렇게 능력 있지는 않은 일손을 포함하여, 많은 일손이 필요하게 된다. 하지만 비오는 날은 고약하고, 습하며, 처량하다. [마을 밖] 이웃 사람의 들은 지난달에 커다란 트랙터로 농약을 뿌렸기 때문에 잡초가 없어 아름다워 보인다. 마을 사람들은 또한 가족들과, 또는 공동으로, 마을 밖으로 나가는 휴가를 원한다. 농부와 그의 소수의 조력자들은 도움이 가장 필요한 때에 자신들만 남아 있는 경향이 있다.

그러면 유혹이 찾아온다. 들은 말보다는 트랙터로 더 잘 보존할 수 있고, 그것도 작은 트랙터보다 큰 트랙터로 더 잘 보존할 수 있다. 농부는 명예로운 사람이다. 농부의 들은 농부의 명예이다. 게다가 큰 트랙터는 겨울에 눈이 쌓이면 길에 쌓인 눈을 더 쉽게 치울 수도 있다. 트랙터는 아주 효율적이어서, 트랙터를 이용하여 좁은 길을 눈이 와도 괜찮을 만큼 충분히 넓은 도로로 만들자는 요구가 제기된다. 여러 마을 사람들이 걷는데 어려움을 느꼈다. 몇 명의 나이든 협력자들 또한 어려움을 겪었다. 신체적으로 약한 사람들이 밖으로 나오기 전에 트랙터로 아침마다 모든 얼음길에 모래를 뿌릴 수 있었다. 마지막으로, 농부와 편의시설 및 보건 감독관의 시각에서 보면, 마을 사람들의 건강이 지렁이보다 더 중요하지 않을까?

트랙터는 다섯 마을에 모두 도착했다. 착유기는 오지 않았다. 젖소[암소]는 인간에 가깝다. 노르웨이에서는 어떤 동물도 겨우내 곳간에 몰아넣는 것은 친절하지 않다. 따라서 젖소와 황소는 매일 눈 속으로 나간다. 하지만 친절은 대가를 치른다. 2년 전 겨울, 비다로슨에서 최고의 젖소가 얼음 위에서 넘어져 다리가 부러졌고, 그 때문에 도살되어야 했다. 하지만 일반적으로 마을에 있는 젖소들은 행복한 나날을 보낸다. 우유를 짜기 전에 젖소들에게 여러 시간 동안 빗질을 한다. 농부들의 이론에 따르면, 이것은 우유 생산을 도와준다. 최소한 그것은 젖소들과 빗질하는 사람들에게 좋아 보인다. 어떤 마을에는 우유를 짤 때만 필요한 한 가지 일자리가 있다. 그것은 젖소의 꼬리가 우유 짜는 사람의 얼굴을 때리는 것을 막을 수 있게 꼬리를 단단히 쥐고 있는 꼬리 보호자라는 일자리다. 물론 핵심적인 사람은 우유 짜는 사람이다. 모든 사람이 할 수 있는 것은 아니지만, 할 수 있는 사람들에게 이 활동은 커다란 기쁨의 원천이다.

트랙터가 도착했다. 하지만 트랙터들이 작은 길을 다 삼켜버리는 것은 허용되지 않았다. 그리고 트랙터는 들에서 상당히 조심스럽게 사용된다. 손을 불필요하게 만드는 다른 부가 장비는 추가되지 않았다. 특히 수확의 대부분은 여전히 손으로 한다. 한창 수확할 때에는 인형 가게, 빵집, 도자기 제작소도 문을 닫는다. 마을 사람이 모두 들에 나가 있으며, 당근을 캐는 사람, 당근의 녹색 줄기를 제거하는 사람, 당근을 종이 상자에 넣는 사람, 차를 대접하는 사람, 함께 있는 것을 즐길 뿐인 사람, 땡땡이 치며 다른 사람의 일을 방해하는 사람이 있다. 나는 Z(p. 40)가 도망가지 못하게 막으면서 당근 뽑는 나를 도와 달라고 요청했다. 그는 농담을 몇 마디 하더니 사라졌다. 나는 다시 그를 잡아 왔고, 이번에는 더 강하게 요청했다. 그는 다시 한 번 도망가려고 했는데, 마침내 나는 그의 문제를 파악했다. 그는 무엇이 당근인지 확실히 알지 못했고, 특히 땅에서 어떻게 뽑는지를 몰랐다. 그의 동네에서 공공의 적인 그는 자신의 무능력이 드러나는 것을 죽음만큼 두려워했다. 우둔하기보다 오히려 나쁜 게 낫다는, 에저튼Edgerton(1967)이 명확하게 기록한 경향이다.

　지역 전화, 농기구, 식기세척기, 이것들은 통찰력 없이 사용된다면 모두 위험한 도구들이다.

4.2 일의 유형

집안일[가사노동]은 마을들에서 많은 사람들의 에너지를 흡수한다. 매일 아침 이 일을 할당받은 사람들은 청소하고 요리하기 위해 다른 집들에서 온다. 집-아빠나 집-엄마를 제외하고 아무도 자신의 집에서 매일 일하지는 않는다. 일의 중요성은 다른 사람들을 위해 일을 한다는 데 있다. 한 시간 반가량 일을 하고 나서 삼십 분은 차를 마시고 케이크를 먹고 소리를 내 독서를 하거나 집-아빠나 집-엄마와 수다를 떤다. 그러고 나서 집으로 저녁 식사를 하러 가기 전까지 일을 계속한다. 오후는 대부분 아침부터 와서 집안일을 하는 사람들을 위해 작업장에서 보낸다.

　다른 중요한 일은 인형 만들기다. 한 인형 가게 지도자가 한번은 이 작업에 대해 설명했다(Leinslie, 1984). 여기 그녀가 묘사한 것에서 가져온 인용문은 이 책의 형식에 비추어 조금 길다.

하지만 그녀가 묘사하는 과정 또한 긴 것이다. 그녀는 아주 가볍게 말한다. 하지만 주의를 기울여 들으면 많은 정보를 얻게 된다.

1981년 봄, 인형을 만드는 새로운 작업장이 만들어졌다.

그런 작업장 하나가 이미 운영되고 있었다. 여기에서 그들은 네다섯 살 정도의 어린이들을 위한 인형을 만들었다. 우리는 아주 어린 아이들을 위한 인형을 만들길 원했다. 목표는 어린이가 인형을 자신의 경험으로 인식할 수 있도록 인형을 만드는 것이었다. 몸통과 다리는 아주 어린 아이에게는 잘 인식되지 않는다. 따라서 우리는 몸통과 다리는 부드러운 자루로 남겨 둔 채, 머리와 손이 있는 인형을 만들었다.

작업장은 작은 공동체이다. 그리고 우리가 평등하다고 느낄 수 있는 공동체이다. 최종 생산물을 위해서는 모든 활동이 중요하다는 것은 잘 알 것이다. 만약 하나의 연결 과정이 사라지면, 결과는 전체 과정에 영향을 미친다. 그러나 단지 생산성 때문만은 아니다. 한 사람이 거기 없을 때, 전체 분위기에서 무언가 빠져 있다.

각 참여자에게는 그녀 또는 그가 전체에서 중요하다는 것을 아는 것이 중요하다. 작업장 바깥에서 올라Ola는 많은 문제를 가지고 있다. 그는 공격적이고 불안해하며, 너무 잠을 안 자고, 항상 경계한다. 하지만 그는 또한 친절하고 도움을 주며, 특히 자신보다 약한 사람들을 보살핀다. 그는 어떤 시설에서 왔는데, 거기에서 그는 모든 대면 상황에서 공격적이었고, 모든 일을 거부했다고 한다.

…작업장에서 처음으로 작업할 때, 그는 손으로 모든 바느질을 했다. 그는 안절부절못하며 자신이 하는 일에 적극적이지 않았고, 가장 단순한 일만 처리할 수 있었다. 그는 자신의 불안함을 해소하기 위해 마을에서 재료를 여기저기로 나르곤 했다. 하지만, 천천히, 그는 재봉틀을 다룰 수 있다는 것을 증명했다. 재봉일은 가장 간단하게 할 수 있는 선작업에서부터 시작했고, 점차 복잡한 것으로 늘려 갔다. 그는 해나갔다. 이제 그는 모든 바느질 과정을 준비하며, 특정 유형에 따라 밑그림을 그리고, 재료를 자르고, 바느질을 한다. 작업은 고도로 정밀하고 신중하게 수행된다. 도구는 그에게 축복이 되었다. 이 기계장치를 파악하고 그 자신의 일을 하는 것은 많은 것을 의미했다. 그는 뭘 해야 하는지 알고, 또한 다음 날 무엇이 기다리고 있는지 안다. 이것은 그의 불안함을 없애 준다. 그는 현재 자신의 일을 하고 있다. 그는 작업장에 활력을 주는 사람이 되었다.

아우드Aud는 자신이 사는 집에서 조용한 사람이다. 그녀는 말없이 나날을 보낼 수 있다. 집에 있는 것은 그녀의 습관이고, 그녀에게 맞는 분위기가 아니면 그녀는 한 발자국도 움직이지 않는다. 작업장에서도 그렇다. 하지만 지금은 좀처럼 그러지 않는다. 그녀는 올라와 특별한 접촉을 했고, 그 후에는 더 행복하다. 그녀는 유연해지고 관대해진다. 때때로 그녀는 토르Thor를 도와 그의 바늘을 꿰어 준다. 그러면 토르가 그 나머지 것을 스스로 한다. 헬른Helen이 작업장에 왔을 때, 아우드는 그녀를 처음부터 돌봤다. 그녀는 작업장과 헬른의 집 사이를 헬른을 데리고 매일 왔다 갔다 한다.

아우드는 손으로 인형을 바느질한다. 그녀가 인형을 넘겨줄 때쯤 되면, 인형들은 완성되어 간다. 그녀는 인형 속에서 생명을 가진 사람을 보며, 종종 인형들을 안는다. 그녀는 책상 위에 여러 인형을 놔두길 좋아하며, 그 모든 것을 바느질할 것이라고 말한다. 준비가 되면, 그녀는 "여기 내가 줄 선물이 있어"라고 말한다. 그녀는 마음 깊은 곳에서 그것을 준다. 일에 대한 그녀의 기쁨은 다른 사람들에게 퍼져 나간다.

마치 마을 사람들은 작업장에서 그들 자신들의 껍질을 깨고 밖으로 나오는 것 같다. 거기에서 방해하는 요소들은 그리 많지 않고, 일어나는 일은 항상 반복된다. 그것은 그들이 감히 문을 열 수 있는 분위기를 창조한다. 그것은 생산과 인간의 상호작용 과정 둘 다에 빠져드는 기회를 제공한다.

마을에 있는 다른 작업장도 대부분 인형을 만드는 곳과 같다. 항상 그렇게 체계적으로 철저히 생각하지는 않으며, 육체적으로나 정신적으로 조금 덜 심각한 문제들을 지닌 사람들이 살고 있다. 도자기 제작소가 있고, 목공소, 편물 작업장, 작은 시멘트 공장, 여러 채의 온실, 농장, 빵집이 있다. 톰은 빵집의 대들보다. 1년 전 그는 완전한 자격을 갖춘 제빵사, 즉 '바커스벤 bakersvenn' 자격증을 땄다. 그의 졸업 작품은 전체 마을을 위한 '비네르브뢰wienerbrød(과자)'였다. 그는 아마 노르웨이에서 장인 자격을 갖춘 최초의 다운증후군(몽골증) 제빵사일 것이다. 그와 가까운 사람들에게 이것은 크게 놀라운 일이 아니다. 그의 의지력은 예외적이다. 그의 창의성 또한 그렇다. 빵과 케이크는 진짜 나무를 태워 예열하는 오븐에서부터 최고다. 비다로슨에는 새벽 4시에 불을 지펴야 하는 오븐 하나가 있다. 톰은 수년 동안 이것을 했다. 몇 년 전에 그의 알람시계가 고장 난 적이 있다. 그는 아무에게도 이야기하지 않았지만, 자러 가기 직전에 큰 잔으로 물을 세 잔이나 벌컥벌컥 마심으로써 그 문제를 해결했다. 그렇게 함으로써 그는 본능에 따라 4시경에 일어났다.

4.3 일인가 아니면 노동인가?

피할 수 없는 질문은 아마도 '그들은 어떻게 돈을 버는가[지불받는가]'일 것이다. 대답은 간단하다. 그들은 아무도 벌지 않는다. 마을에서는 아무도 벌지 않는다. 증명된 장애가 있는 사람들뿐만 아니라 다른 사람들도 벌지 않는다. 사람들은 단지 일한다. 대단한 열정과 확연한 능력을 가진 몇몇 사람은 일을 쉽게 한다. 하지만 돈의 유무가 일에 대한 동기의 일부는 아니다. 나는 일에 대한 지불과 관련해서 마을들에서 논의가 있었는지 전혀 기억할 수 없다. 돈은 논의된다. 얼마나 많은 돈을 사용하는 게 올바른가. 또는 인형들의 가격은 얼마여야 하는가. 하지만 일에 대한 장려책으로서 돈은 아니다. 일과 돈은 상관없는 문제다. 이것은 마을에서 일의 의미와 관련해 상당히 중요하다. 더 이해하기 위해, 단어들의 원래 의미로 돌아가 보자.

노동은 전통적으로 무겁고 힘들고 활기 없는 활동을 나타내는 말로 사용되어 왔다. 종종 노동은 고통을 준다. 특히 강요되면, 노동은 몸과 정신에 긴장을 가한다고, 사전은 우리에게 이야기한다. 감옥은 실증적인 예시로 가득 차 있다. 징벌로서의 쳇바퀴 돌리는 일은 감옥과 관련된 예전 문헌에서 자세하게 그리고 열정적으로 묘사되어 있다. 그것은 이상적인 노동이었다. 거대한 인간 집단들이 원형탑 안쪽에 붙어 있는 발판에서 앞으로 한 발씩 올라갈 것을 강요받았다. 그들은 나란히 서서 인간의 몸무게로 인해 아래로 가라앉는 거대한 판자 위를 계속 걸었다. 만약 충분히 빨리 걷지 않는다면, 그들은 가라앉을 것이다. 종종 징벌용 쳇바퀴는 그들을 가루로 만들었다. 때때로 징벌용 쳇바퀴는 단지 움직일 뿐이었다. 어쨌든 그 장치는 감옥 안에 커다란 평온을 창조했다.

일은 더 밝은 전망을 지닌다. 거슬러 올라가면 '비르케Virke' 또는 '베르크Verk'라는 용어와 관련된다. 베르크는 완성된 작품일 수 있다. '비르케'는 '베르크의 일부'에 이르는 활동이다.

마을들에는 설립 규약이 있다. 그 설립 규약의 본질은 누구나 다른 사람을 위해 일해야 한다는 것이다. 간호사들이 환자를 위로할 때 하듯이. 또는 예술가들이 관객을 위해 무엇인가를 창조할 때 하듯이. 아무도 자신을 위해 일하지 않는다. 이 설립 규약을 정식화한 루돌프 슈타이너[2]는 그것이 건강한 사회 체계를 창조하는 방식이라고 주장했다. 우리는 다음을 덧붙일 수 있다. 즉, 돈이 장려책[동기]으로 사용될 때, 활동은 종종 일에서 노동으로 변할 것이다. 급여 지불[보수]이 장려책이 될 때, 어떤 행동은 일 — 'verk, virke'[완성된 작품과 그것을 만들어 내는 과정에서의 활동] — 이라는 성격을 잃는다. 따라서 중심 질문은 '어떤 상황에서 어떤 종류의 행동에 노동보다 일이라는 의미가 주어지는가' 가 된다.

대부분의 아이들은 대부분의 시간에 일을 한다. 아이들은 활발하게 창조하고, 침대에서 인형을 잠재우고, 비밀 은신처를 짓고, 싸움을 위해 동맹을 맺는다. 그러고 나서 우리 유형의 체계들 안에 그리고 많은 아이들에게 노동이 온다. 여러 관점에서 보면, 본질적인 과제는 행해지는 대부분의 행동에서 일의 특질을 보호하는 것이다. 그 과제는 우리를 일생의 창조자로서 보존하는 것이다. 화폐 보상과 해야 할 필요가 있는 과제 사이에 외견상 '분명한' 연관의 해소는 아마 어떤 다른 정치적 행동보

----

2. 루돌프 슈타이너(Rudolf Steiner, 1861-1925)는 오스트리아 출신의 학자이자 인지학(人智學)의 창시자이다. 1919년 독일 슈투트가르트에 최초로 자유 발도르프 학교를 창시하였으며, 인지학의 이론 아래 치유 교육학과 관련하여 독일과 유럽 전역에 캠프힐을 건립하였다: 옮긴이.

다도 창조자들을 보존하는 데 더 많이 기여할 것이다. 모두에 대한 최저임금은 — 각자가 제공한 어떤 기여와 관계없이 — 이 관점에서 결정적인 것이 된다. 만약 최소한의 돈이 모두에게 주어진다면 — 이것은 서양에서도 결코 비현실적인 경제적 선택이 아니다 —, 아이들이 그렇게 하듯이, 예술가들처럼, 경제적인 이유들과는 다른 이유들로 대성당을 세우는 사람들처럼, 더 많은 사람들이 계속 행동할지도 모른다. 무익한 과제들이 재활성화될 것이다. 우리는 일할 수 있는 무한한 기회를 지닌 세계를 향해, 즉 올바른 방향으로 일보 후퇴할 것이다. 과제와 보상 사이의 연관을 해소하는 것과 함께, 우리는 또한 자신들의 소비가 '당연'하다고 느끼는 일부 임금 소득자들의 감정을 해칠 수도 있다. 그건 그들 자신의 노력을 통해 벌은 것이기 때문에 '당연'하다. 그렇다면 우리는 적정 소비를 위한 대안적인 기준에 대해 건설적인 논쟁을 시작할 수 있을 것이다. 마을들에서 이것은 전반적인 금욕적 태도를 가져온다.

나는 비다로슨에 머무는 동안 한 가지 문제를 가지고 있었다. 내가 부여받은 일은 시간은 걸리지만 힘든 과제는 아니었다. 에너지는 충만했다. 나는 작은 길들을 여기저기 조깅하면서 에너지를 소모하려고 했다. 그것은 불가능했다. 어디에서나 나는 사람들을 만났다. 나는 달리면서 그들을 바로 지나칠 수 없었다. 마주치는 사람들은 이야기를 원했다. 설상가상으로, 내가 만난 사람들은 일을 하고 있었다. 만약 내가 단지 한가하게 달리는 것 외에 할 일이 전혀 없었다면 왜 그들을 돕지 않겠는가? 나는 동이 트기 전에 밖으로 나가려고 했지만, H는 그의 두 여자 친구들 중 한 명과 함께 양파를 뽑으러 나갔다. 그들은 아침 식사 이후까지 거기에 있어서는 안 되었다. 또한 농부도 밖에 있었고, 제빵사 역시 마찬가지였다. 저녁은 꽉 짜인 문화 행사와 거기에 참여하는 사람들로 채워져 있었다. 밤은 잠을 위해 남겨 둬야 했다. 나는 나의 조깅 신발을 집어넣었다. 조깅 신발은 또 다른 삶에 속했다.

4.4 모든 돈을 하나의 모자 속에

어떤 사람들은 마을이 자활 체계라는 환상을 갖는다. 이것은 단지 환상에 지나지 않는다. 그런 많은 이례적인 구성원들을 지닌 마을들이 어떻게 통상적인 농장들이 많은 국가 보조금 없이는 할 수 없는 것, 통상적인 시설들이 모든 비용을 거의 공적 보조에 의지하지 않고서는 할 수 없는 것을 달성할 수 있을까? 마을들은 모델 기능을 지닌다. 국가 경제가 무너진다 해도, 국가적 재앙이 위협한다 해도, 마을들은 대부분의 시설들보다 더 잘 버틸 것이다. 하지만 오늘날 마을들은 외부 자원에 전적으로 의존하는 것에 가깝다. 마을 경제의 흥미로운 양상은 수입이 아니라, 그들이 어떻게 이 자원들을 사용하느냐이다.

하지만 기록을 위해 먼저 수입에 대해 살펴보자. 마을들로 흘러 들어오는 돈은 국가, 주[군], 개인적 재원 그리고 마을의 생산에서 비롯된다. 우리가 제시하는 수치는 비다로슨에 관한 것이다. 하지만 다른 마을도 기본적으로 비슷하다. 대부분은 국가에서 나오는데, 지난해(1987년)에는 2,100만 크로나(200만 파운드)였다. 부가적으로 100만 크로나 가까운 돈이 주에서 나온다. 농장과 작업장에서도 상당한 — 총 수입의 10퍼센트에 가까운 — 돈이 들어온다. 사적인 돈은 대부분 지난해 김나스 gymnas(중등학교)에서 학생들이 수행한 활동을 통해 제공받았다. 봄 학기에 학생들은 자신들이 선택한 목적을 위해 마을에서 하루를 보낸다. 학생들은 마을들을 좋아한다. 그들은 종종 마을에서 생산된 양초를 팔았다. 마을의 많은 집들이 이 돈으로 지어졌다. 개인적인[사적인] 후원은 복지국가에서 논란이 많은 해결책이다. 도움을 필요로 하는 사람들은 국가로부터 그것을 충분히 받지 않는가? 개인적인 기부는 옛날부터 자선 행위와 함께 이어받은 모멸적인 유산이 아닌가? 이 관점을 반박하는 주장은 수천 명의 젊은이들이 매년 마을들에 대해 배우고, 또한 양초 구매자들에게 이 정보를 퍼뜨린다는 것이다. 이 젊은이들의 일부는 마을 거주자가 된다.

다음으로 돈의 사용에 대해 살펴보자. 여기에는 '모든 돈은 하나의 모자 속에'라는 기본 원칙이 있다. 마을들을 위한 공적인 돈은 마치 마을들이 공공 시설인 것처럼 주어진다. 예산에는 '교사,' '간호사,' '자격증 있는 간호사,' '의사' 등과 같은 항목들이 있다. 이 개념들은 마을에서는 의미가 없다. 따라서 공식적으로 이 공식 역할들에 주어진 돈은 공동 계좌에 들어간다. 공식적인 업무 담당자들은 그 돈을 결코 보지 못한다.

하지만 그녀 또는 그는 집에서 보살핌을 받고 방을 제공받으며, 만약 필요하다면 음식, 자동차, 또는 기차표를 받는다. 그리고 현재 젊은 참여자들에게는 한 달에 약 700크로네가 주어진다. 이것은 회계 체계를 간단하게 한다. 젊은 참여자들은 꽃, 책, 또는 개인적인 선물을 좋아한다. 하지만 그 또는 그녀는 더 필요할 수도 있다. 그러면 모자에서 돈이 나온다. 그리스 휴가나 예르나Järna에서의 세미나, 모스크바에서의 세미나, 또는 새로운 옷을 위해서 나온다. 돈이 있는 모자는 모든 협력자들이 사용할 수 있다. 고령자들은 매달 700크로네 이하를 받을 것이다. 그 체계에서 위험은 분명히 개인적인 사용을 위해 너무 많은 돈을 빼낸다는 의미에서 남용이 아니다. 사용에 대한 망설임, 일상생활에서 어려움을 만들어 내는 내핍의 찬양 등, 문제는 과소 소비이다. 이상적으로는, 사람들은 서로를 지켜보고, 낡은 물품을 신품과 교환하도록 친구들을 독려한다. 하지만 모든 것이 눈에 보이지는 않고, 사람들은 이 문제에서 종종 쑥스러워한다.

마을 외부 사람들의 반응은 그야말로 불신이다. 그것은 불가능하다. 그것은 남용될 것이다. 하지만 고령자들과 이야기를 시도해 보라. 너무 늙어서 그들은 '국가 보건 체계'에 대해서 말하지 않지만, 그들 몸이 일하기 힘들 때 그 속에 있는 돈을 꺼내서 생활하는 선물함 '쉬케카세Sykekasse[질병보험]'— 꽤 운이 좋아 실직하지 않은 동안에 자신들의 수입의 일부를 넣어 두는 작은 상자 — 에 대해서 말한다. 이 돈은 또한 동지의 돈이었다. 그 돈의 상황은 모자에 있는 돈의 상황과 정확히 같다. 공동 운명의 경험은 과잉 소비보다 과소 소비를 훨씬 더 가능하게 만들었다. 소비 수준은 사회 체계 조직화의 직접적인 결과이다.

모자에 돈을 넣어 놓고 필요에 따라 쓰는 것은 세 가지 결과를 가져온다. 첫째, 이미 기술한 것처럼, 그것은 일과 돈 사이의 관계를 끊는다. 일은 노동이 되지 않도록 보호된다. 그 일이 어떤 종류의 돈을 가져오는지에 따라서가 아니라, 무엇을 하고 또 그 일을 어떻게 하는지에 따라서 사람들은 평가받을 수 있다. 그리고 스스로를 평가할 수 있다. 둘째, 그것은 또한 일과 소비 사이의 관계를 갈라놓는다. 돈은 일을 하면 당연히 받아야 하는 것이 아니다. 셋째, 모자에 공유하고 있는 돈은 또한 마을을 훨씬 더 강력한 단위로 만든다. 내핍이 이상이고 집합체가 너무 크게 성장하지 않는 한, 집합적 삶은 비용이 적게 드는 삶이다. 게다가 마을에서 사는 사람들은 누구나 그들의 정식 수입이 아니라 그들의 실제 소비에 따라 세금을 내는 게 사실이다. 그들은 한 달에 받는 700크로네, 마을에서 제공하는 집과 음식, 그리고 궁극적으로 추가적인 개인적 사용을 위해 그들이 받는 것을 더한 것에서 세금을 낸다.

원래의 예산 자료에 따르면, 비다로슨은 30명의 임금노동자의 급여를 국가로부터 받는다. 국가에 따르면, 이들은 피고용인이다. 하지만 사실 마을에는 급여를 받는 그러한 노동자들이 약 45명 있다. 달리 말하면, 15명의 추가 인원이 모자의 잉여금에서 급여를 받는다. 다른 마을에서도 같다.

게다가 이 모자에서 마을의 지속적인 확장을 위한 돈이 나온다. 새로운 마을은 모자에 있는 돈으로 구입한다. 그리고 새로운 건물도 동일한 원천[그 모자]에서 지원된다. 1987년에 백만 크로네가 그런 목적을 위해 저축되었다. 그것의 거의 대부분이 모자에서 나온 잉여금이었다.

마을 경제의 이 기본 원칙에는 3가지 예외가 있다. 가장 중요한 하나는 이미 언급했다. 정부 연금을 받을 자격이 있는 모든 장애인은 그들 자신의 개인적 소비를 위해 그들 몫의 연금을 가질 수 있다. 그들은 자신의 은행 계좌를 갖고 있다. 현재 (1988년), 그들은 매달 750크로네를 받는다. 그들은 고용되어 있는 사람들이 급여로 받는 것보다 더 많은 돈을 받을 때도 종종 있다.

다른 예외는, 일부 사람들은 바깥 생활에서 또는 마을 생활 이전에 개인적 소지품이나 돈을 가지고 있었을 것이라는 점이다. 그것을 지키는 것은 그들의 일이다. 비다로슨에는 연금을 받는 협력자 가운데 한 사람이 자기 소유의 차를 가지고 있다.

세 번째 예외는, 일부 마을은 마을 밖에 사는 사람들을 고용할 수 있다는 것이다. 비다로슨에는 버스 운전기사, EDP(전자 정보처리 시스템) 전문가, 근처 도시에서 온 타자수도 있다. 예소슨은 외부에서 온 운전기사와 방직공에 의존하고 있다. 하지만 마을 안에 사는 누구도 자신의 일에 대한 통상적인 급여를 개인적인 사용을 위해 받지는 않는다.

1989년에 비다로슨에서 공식적으로 보살핌을 받는 사람들의 일일 비용은 550크로네이다. 몇 년 전에 그 수치는 450크로네였다. 이 마지막 수치를 다른 수치들과 비교할 수 있다.

여기에 일부가 있다.

노르웨이 시설들의 정신장애 환자당 평균 비용 ········ 992크로네
1985년 외과병원의 환자당 평균 비용 ···················· 2,000크로네
1985년 정신병원의 환자당 평균 비용 ···················· 1,300크로네
1987년 죄수당 평균 비용 ································· 726크로네
여성위기센터의 평균 비용(음식이 포함되지 않은) ········ 215크로네

(단위: 노르웨이 크로네)

보다시피, 마을은 정신장애인들을 위한 시설과 비교해도 비싸지 않다. 마을들은 병원이나 감옥과 비교할 때 정말 싸다. 그리

고 우리가 잠시 동안 사회의 공식적인 전문 용어를 고수한다면, 공적으로 '지불받는' 사람들보다 훨씬 더 많은 수의 사람이 '고용되어' 있다는 것을 고려할 때, 그리고 매일 550크로네라는 비용의 기초 위에 세워진 모든 '특별' 건물들 ─ 극장, 카페, 작업장 ─ 을 고려할 때, 마을은 정말 비용이 적게 든다. 급여는 모든 시설에서 주요 지출 비용이다. 정상적으로, 급여는 개인적인 소비에 사용되거나 체계 외부에 투자된다. 마을에서 급여는 전체의 이익을 위해 체계 안에 대부분 투자된다.

5. 리듬

5.1 일주일

마을에서 [아침에] 일어나는 것은 부드러운 과정이다. 종종 누군가는 플루트를 연주하며 집 주위를 걷고, 때때로 다른 악기들도 사용된다. 비록 어떤 사람들은 좀 더 직접적인 명령을 필요로 하지만, 대부분의 사람들은 이것으로 충분하다. 하지만 7시 30분에 준비된 유인책[장려책]들이 있다. 거실에선 양초가 타고 있고, 시가 암송되고, 노래가 불리고, 그런 다음 아침식사가 있다.

식사에는 자체의 리듬이 있다. 음식에 대한 축복과 함께, 하나의 테이블 주위에 거의 모든 사람이 모여 자주 이렇게 말한다.

우리에게 이 음식을 준 대지,
이것을 익게 만들고 풍족하게 만든 태양,
대지에게
태양에게
우리가 사는 당신 옆에서
당신에게 우리의 사랑을
감사를 드립니다

그런 다음 참석한 모든 사람은 테이블 주위의 그들 이웃들과 손을 잡고 "음식에 축복을"이라고 말한다.

이것은 외부 세계에서 온 사람들에게는 낯선 절차이다. 방문 자들은 부끄러워하는 것처럼 보인다. 이 믿음 체계의 바깥에 있는 우리들에게 이것은 딜레마이다. 인식되지 않는 역능(힘)에 대해 축복하는 것이 어디까지 가능한가? 나에게 식사 의례에 참여하는 게 과도한 일은 아니다. 반대로, 이런 아침은 좋은 아 침이다. 대체로 식사는 모두가 모이기 전에는 시작되지 않는다. 양초, 손을 잡는 것, 이것은 제때 거기에 있도록 권장하며, 또한 [사람들을] 통합하는 과정이다. 그러고 나서 공동 식사가 있고, "감사히 먹겠습니다"라고 제창한다. 그것은 흔히 공동 시작도, 핵심도, 공동 마무리도 없는, 외부 세계의 급한 식사와 대조되 는 환영할 만한 점이다.

8시 25분에 벨이 울리면 집을 떠날 시간이다. 일은 9시에 시작한다. 빵집과 농장은 훨씬 더 일찍 시작하기 때문에 예외이다. 일을 할 때도 아침 식사에서부터의 리듬은 반복된다. 모여서 시작 전에 노래를 부르며, 그러고 나서 한두 시간 일한 다음 차를 마시며 휴식하고, 종종 한 사람이 책의 한 장을 집단에게 읽어 준다. 그리고 마지막으로 12시 30분에 하루 첫 일과의 첫 부분이 끝날 때 함께 작별 인사를 한다.

그 다음에 오는 것은 정오 휴식이다. 현대 노르웨이에서 '미다그middag' — 정오 — 는 그 말이 사용되는 때와 상관없이 주요 식사를 나타내는 용어이다. 마을들에서 그 말은 원래 용법으로 되돌아간다. 거기서 '미다그'는 한낮을 의미하고, 또한 주요 식사를 의미한다. 음식은 뜨겁고, 휴식은 길다. 또한 예전에 그랬듯이, 또는 남쪽 나라들의 낮잠과 같이, 식사와 휴식을 위한 시간이다. 대체로 거실에서 함께 커피를 마시고 케이크를 먹는다.

오후 근무 일과는 오전과 같다. 많은 사람들이 오전의 일터에서 일을 계속한다. 이 근무는 2시 30분에서 5시 30분까지 계속된다. 어떤 사람들, 특히 집안일을 한 사람들은 이제 작업장에서 활동을 시작할 것이다. 다른 사람들은 다양한 교육 활동과 독서 수업을 위해 이동하고, 오케스트라는 리허설을 하고, 어떤 사람들은 치과를 방문하러 시내에 간다 등등. 5시에 저녁 벨이 울리고, 일이 끝나면, 모두 저녁 식사를 위해 집으로 간다.

하지만 활동들은 중단되지 않는다. 거의 매일 저녁마다 마을들에서는 어떤 종류의 프로그램이 있는데, 대체로 가장 큰 방이나 홀에서 모이곤 한다. 그리고 다시 프로그램들 내내 리듬이 있다. 그 모든 것이 시작하기 전에는 흔히 침묵이 있고, 끝에는 음악이나 노래가 있다. 시작과 끝은 분명하게 표시된다. 작은 집단들은 종종 사람 수만큼의 의자를 가지고 원을 지어 모인다. 그들 사이에 테이블은 없다. 큰 방에서 강연자들은 흔히 자신들과 듣는 사람 사이를 구분짓는 테이블이 없다는 것을 발견한다.

마을들에서 낮의 일상은, 서로 비슷한, 작은 바퀴들과 같다. 아침 식사는 공동 시작과 끝을 지닌 채 착실히 굴러간다. 그렇게 오전 일, 식사, 오후 일, 저녁 식사, 그리고 저녁 활동을 한다. 일하는 평일에는 비슷한 구조를 지닌 6가지의 만남, 6가지의 작은 바퀴가 있다. 그리고 같은 구조를 지닌 일주일 중 6일이 있다. 마을들은 토요일에도 일한다. 이것은 의도적인 선택인데, 이에 대해 곧 설명하겠다.

5.2 일주일의 절정

토요일 밤은 다르다. 전부는 아니지만 협력자들의 많은 수가 인지학자들이다.[1] 이러한 생각 및 믿음의 체계가 어떤 것인가에

----

1. 인지학. 오스트리아의 철학자·과학자·예술가인 루돌프 슈타이너가 창안했는데, 그는 이를 영학이라고 불렀다. 슈타이너는 영적 세계가 존재함을 전제로 하

대해서 말하는 것보다 어떤 것이 아닌가에 대해서 말하는 것이 더 쉽다. 간단히 말하면, 그것은 정교하고 독단적인 체계가 아니다. 그것은 기독교의 주요 부분과 일치한다. 보통 기독교적인 예배에 가까운 예배를 하고 있지만, 대개 전문가들에 의해 수행되지는 않는다. 게다가 그 체계는 환생의 믿음과 우리의 운명은 전생의 우리의 행동에 의해 결정되고 이생에서 우리의 새로운 가능성을 일굼으로써 — 비록 우리가 이 새로운 가능성들을 일구기 위해 최선을 다해야 하지만 — 촉진된다는 것을 소중히 여긴다.

이 묘사는 인지학자들을 만족시키지 못하겠지만, 그것은 나의 과제가 아니다. 내가 할 일은 왜 마을에서 토요일 밤은 그렇게 좋은지를 설명하는 것이다. 그 대부분은 신자가 아닌 나 자신을 설득하기 위해서이다.

토요일 밤은 모든 밤 중에서 최고다. 토요일 밤 이전에 특별한 집에 손님으로 오라는 초청장이 도착할 것이다. 종종 한 번에 여러 초청장이 도착한다. 너무 늦게 초청 제의를 받은 사람들의 기분을 상하게 하지 않을 정도의 사교적 재능이 발휘돼야 한다.

여, 그 세계는 순수한 사유로 알 수 있는 세계이기는 하지만 오로지 모든 인간에게 잠재되어 있는 인식능력을 통해서만 완전히 도달할 수 있는 세계라고 주장했다. 그는 인간이 처음에는 꿈 같은 의식을 통해 세계의 영적 과정에 참여했다고 보았다. 그는 고양된 의식은 영적 세계들을 인식할 수 있다고 보았기 때문에, 감각과 독립된 정신적인 지각능력을 계발하려 했다: 옮긴이.

그러고 나서 토요일 밤이 온다. 정식으로 그것은 '성경 저녁 Bible evening'이라 불린다. 나는 나의 첫 번째 토요일 밤에 세 가지 실수를 했다. 나는 옷을 갖춰 입지 않았다. 다른 사람들은 모두 갖춰 입었다. 나는 모든 게 시작되기 전에 대화를 나누려고 했다. 함께 엄숙하게 숙고하는 것이 전통이었다. 그리고 나는 성경을 가져오지 않았다. 하지만 그것은 또 다른 이유들로 인해, 다른 많은 것들과 함께, 내가 여전히 기억하는 저녁이다. 단지 거기에 있었으며, 시작은 조용했다. 12명이 있었다. 그들 가운데 일부는 일상생활에서 이상하게 몸을 움직였지만, 그때는 아주 조용했다. 때때로 생각보다 빨랐던 말들이, 또는 실제로 거기 있었던 영감들을 소통할 수 없다고 느꼈던 말들이 또한 그랬다. 침묵을 통해 우리는 평등해졌다.

나중에 다음 날의 예배를 위한 텍스트를 읽었다. 읽고 토론했다. 그리고 다시 하나가 된 토론, 평등한 사람들 사이의 토론이 있었다. 주위에 성경 전문가들은 없었다. 그리고 누가 전문가들인가? 만약 신체가 영혼[정신]의 운반체라고 믿는 사람이 있다면, 그리고 영혼은 훨씬 전부터 거기에 있었다고 믿는다면, 어떤 누군가의 영혼의 운반체 — 어떤 누군가의 신체 — 에 다른 운반체보다 더 많이 귀를 기울인다는 것은 그다지 확실하지 않다. 그리고 성경은 모호함의 보고이다. 대화 전의 가벼운 식사, 그런 다음 공동 작별 인사, 그리고 최고의 밤은 끝난다.

일요일은 다르다. 대다수가 예배를 위해 모인다. 내가 아는 한, 어느 누구에게도 그렇게 하라는 특별한 압력은 없었다. 그것은 오히려 당연한 것이었다. 예배에는 음악과 노래가 있다. 그리고 그곳은 그들이 있는 곳이며, 만나고 싶어 하는 다른 사람들이 모두 있는 곳이다. 예배 주재자와 그 또는 그녀의 보조자의 역할은 주로 마을에 사는 협력자에 의해 수행된다. 이때는 마을의 숨겨진 권위 구조가 보일 수도 있다. 이것은 일종의 성찬식에서 신자들이 자신들의 믿음을 확인하며 잠시 서 있는 동안, 다른 이들은 앉은 채로 있는 의례 — 배제에 기초한 사회적 상황 — 에 의해 강화된다. 나는 나의 일요일 프로그램에서 예배를 없앰으로써, 이것에 대한 나의 양가감정을 드러냈다. 오후는 함께 걷기에 좋다. 저녁에는 콘서트나 강연이 자주 있다.

5.3 축제

토요일과 일요일은 일주일 가운데 어떤 절정의 경험을 느끼게 해 준다. 다른 날들은 그 계절과 그 해의 절정의 경험을 느끼게 해 준다. 마을에는 그런 절정의 날이 많다. 주요한 것은 다음과 같다.

송년의 밤(새해 전날) — 자정에 모임
카니발(사육제) — 말 그대로 고기carnemeat에 대한 작별 인사를 의

미한다. 마을들에서 큰 축제

사순절 — 음식이 남는 것을 피하는 날

부활절 — 항상 한두 편 또는 세 편의 연극 공연과 함께 한다

성령 강림절 — 또한 연극이 있다

세례자 요한 축일 — 북유럽 국가의 긴 낮과 연극 공연을 축하하기
위한 큰 축연

강림절(대림절) — '도착'을 의미. 예수의 강림을 기다리는 기간. 항
상 아이들을 위한 큰 의식이 있고, 그리고 한 주가 지날 때마다
양초가 하나 더 켜진다. 강림절의 마지막 일요일에 모든 집은 그
때까지 집을 장식해 온 깡마른 소나무나 꽃의 장식을 치우고, 세
례자 요한 축일 밤에 불을 피우는 곳에서 그것들을 태운다. 어둡
고 차가운 날씨에 세례자 요한 축일까지 반이 지나간다.

크리스마스 — 축제, 여러 편의 연극

이 모든 축제는 또한 인근에 사는 사람들에게도 열려 있다. 그
리고 더 먼 곳에서 온 사람들에게도 열려 있다. 콘서트는 종종
신문에 공지된다. '개막일'에는 수천 명의 방문객이 온다.

또한 마을에는 또 다른 움직임, 즉 개인적인 움직임이 있다. 새
로 태어난 아이들을 세례하는 날은 마을에서 중요한 날이다.
생일 또한 항상 축하된다. 안수 의례와 결혼도 그렇다. 최근에
그 움직임이 완벽해졌다. 묘지가 만들어졌다. 그것은 쉬운 과

제가 아니었다. 일지에 그 과정이 기록됐다. 32번의 모임이 자치구 당국, 시 당국 그리고 주정부 당국과 함께 열렸다. 신부와 주교 들이 함께 했고, 현장 방문이 있었다. 엄청나게 많은 커피가 함께 했다. 공원을 어떻게 꾸밀 것인지에 대한 지역 전문가들의 약속과 계획도 있었다. 결국 승리했다. 예배가 이루어지는 곳 바로 뒤가 비다로슨에서 죽은 사람들을 묻을 수 있는 곳으로 공식 허용되었다. 그렇게 [시간의] 순환은 완성되었다. 비다로슨에서는 [아이의] 탄생이 자주 있다. 한 명의 산파가 오랫동안 그곳에서 살았고, 다른 산파들은 요청이 있으면 온다. 노인들은 그대로 머무른다. 한 집은 아마도 장애가 있는 사람들에게 특별한 예배를 제공하는 곳으로 바뀔 것이다. 그것은 또한 자치체 전체를 위한 요양원으로 기능할 것이다. 그리고 이제는 묘지가 있다. 완전한 순환.

5.4 시간의 두 유형

앞에서 묘사한 것을 이해하기 위해서, 우리는 두 가지 고전적 시간 개념, 즉 순환적 시간 개념과 선형적 시간 개념으로부터 도움을 받을 수 있을 것이다.

순환[주기]적 시간은 오래된 시간 개념이다. 그것은 바닷물이 오고 가는 것을 통해 측정된 시간이다. 순환적 시간은 날(日),

달(月), 여성의 [생리] 기간, 계절 또는 인생의 단계를 통해 측정된다. 순환적 시간은 반복된다. 다음 해 봄에 제비가 다시 돌아오고, 가을에는 과일이 익을 것이다. 시간상 뒤로 돌아가 참고하고 미래에 대해 약속하는, 거대한 사건들과 관련된 시간이다. 순환적 시간은 사람의 관심을 두 방향으로 이끈다. 시간이 움직이는 장소인 미래로, 또한 과거를 다시 나타낼 수 있도록 뒤로, 아마 이것은 양쪽을 향하는 관점을 지닌 채, 누군가 있는 곳, 시작과 끝 사이 어딘가에 조금 더 쉽게 있도록 만든다.

선형적 시간은 다른 특징들을 갖는다. 선형적 시간의 상징은 디지털시계이다. 이것은 무한을 향해서 나아가는 시간이다. 매초 새로운 수가 만들어지고, 동시에 과거의 수는 사라진다. 시간은 작고 크기가 같은 조각들로 잘게 썰린다. 그것은 무한에서 오고, 무한을 향해 움직이는 시간이다. 순환적 시간이 '여성적 시간'인 반면에, 선형적 시간은 남성적 관점에 가깝다고 때때로 주장된다.

미래를 향해 주의를 환기시키는 선형적 시간은 일종의 역사 경시를 부추긴다. 이것은 미래에 살도록 하는 경향을 이끈다. 중요한 것은 오늘이 아니라 내일이다. 나는 미래의 언젠가에 과일을 먹을 수 있기 위해 오늘을 투자한다. 그리고 만족을 미룬다. 그것은 디지털시계의 기능을 통해 효율적으로 상징되는 근면한 자본가의 삶이다. 시간은 가치 있다. 배터리는 사야만 하고, 사용된 것은 버린다. 시간은 정확히 벤저민 프랭클린이

말한 대로다. 바로 돈이다. 이것은 주요 경향이다. 그것은 산업
화된 선형적 적응이다.

꽤 분명한 것은, 마을들은 순환적 시간에 깊이 박혀 있다는
것이다. 하루의 작은 바퀴[순환]들, 마을 안에서의 그리고 마을
들 사이에서의 반복들. 주말의 작은 절정들과 축제의 큰 절정
들. 마을 사람들은 그렇게 자주 과거에 있어 왔기에 과거에 닻
을 내리고 있다. 하지만 그들은 또한 다가올 미래에 대해서도
준비하고 있다. 부활절 연극이 끝난 뒤 큰 홀에서 나올 때, 나
는 그 연극의 건장한 기획자가 일부 관객들에게 다음 주 성령
강림절에 할 공연을 준비해야 한다고 속삭이는 것을 들었다.

5.5 자유 시간

오랫동안 나는 사람들이 일하지 않을 때 무엇을 하는지 질문
하는 습관이 있었다. '자유 시간'에 그들이 하는 것 말이다. 나
는 정확한 세부 사항들까지 알기 위해서가 아니라, 그들이 쓰
는 더 일반적인 개념들을 알기 위해서 묻는다. 두 가지 개념으
로 포착된, 분명한 대비 유형이 나타난다.

휴가vacation와 휴일[축일]holiday

대부분이 이러저러한 종류의 휴가 중이다. 종종 그들은 휴가를 단지 노동 또는 일의 부정으로서 정의한다. 즉, 나는 일하지 않고 있고, 나는 휴가중이고, 나는 자유롭게 휴식을 취하며 하는 일 없이 지내고 있다. 훨씬 더 적은 소수의 사람들이 이렇게 말할 것이다. 나는 휴일에는 축하하기 위해 쉰다고.

이 단어들의 메시지를 다시 들어보라.

휴가는 빈 시간, 내용 없는 시간을 의미한다. 공석-빈자리를 의미한다. 방랑자는 영원히 휴가 중인 사람이다. 지난 세기의 부유한 영국 신사는 단지 문화 활동이나 오락 활동으로 그 빈 시간을 채우도록 잘 훈련된 인간의 또 다른 예이다. 그는 동시에 빈 시간의 상황에 대처하는 데 많은 돈, 긴 시간, 그리고 사립학교와 대학에서 겪은 상당한 고통이 필요하다는 것을 보여준다. 따라서 휴가는 일종의 도피이다. 어떤 것으로부터, 노동으로부터 벗어나는 것이다.

휴일[축일]은 더 긍정적인 목표이다. "페리에Ferie"는 휴일을 나타내는 스칸디나비아/독일의 단어이다. 그 말이 "파이레feire"/"파이엔feiern" ― 축하 ― 에 [실제로 더] 가까운 것은 분명하다. 또는 오히려 분명했다. 휴가는 휴가가 아니라 축제였다. 크리스마스의, 부활절의, 세례자 요한 축일의, 그리고 개인사에서 중요한 시점을 축하하는 날이었다. 성탄절 축제 동안에는 또는 더 작은 규모로는 누군가의 친척들의 축하 행사 동안에는 일을 중지해야만 했다. 이것은 종종 일 또는 '베르크verk'에서 벗어나라는 압박이었다. 노르웨이 출신의 화가 에드바르 뭉크Edvard Munch는 커피를 마시기 위해 자신의 여동생과 만나기로 하였을 때, 자신의 절망감을 묘사했다. 만약 가족 모임에 함께 할 의무가 없었다면 자신은 어떤 종류의 일 ― 어떤 종류의 걸작들 ― 을 창조할 수 있었을까 하는 생각 때문에 그는 고통받았다.

우리 사회에서 충분히 자의식이 강한 사람들은 자신들의 50번째, 60번째, 70번째 생일이 가까워질 때, 그 행사에 대한 어떤 언급도 바라지 않는다고 대중매체에 알리곤 한다. 이것은 상투적인 것이 되었다. 전국 통신사에 살짝 알리고 어떤 언론의 관심도 피하는 것이 가능하다. 그러면 그 전국 통신사는 언급되는 것을 원하지 않는다는 문제의 인물의 그 소식을 다른 신문사, 라디오 방송국, TV에 전송한다. 많은 사람들은 또한 축제가 있는 중요한 날 도시에서 벗어난다. 또는 많은 사람들은 가능한 마지막 축제 ― 장례식 ― 때에 가까운 친척들에게 맡겨진다. 이 잠재적인 축제 소식을 공지할 때, 종종 꽃은 원하지 않는다고, 심지어 이미 장례식은 치렀다고 나온다. 크리스티안 4세 시절의 사태들과는 대조적이다. 이 덴마크-노르웨이 왕은 1648년에 죽었지만, 그런 위대한 통치자에 값하는 장례식 준비를 위해 열 달 동안 ― 묻히지 않은 채 ― 자신의 관에 남아 있어야 했다.

그리고 왜 우리는 축하하지 않는가? 우리는 축하할 것이 아무엇도 없기 때문이다. 그리고 왜 우리는 축하할 것이 아무것도 없는가? 우리는 주위에 관계할 것 — 예를 들어, 축제 — 이 아무것도 없기 때문이다. 사회적 상호작용은 축제를 위한 비옥한 토대이며, 축제는 상호작용의 촉진자이다. 하지만 상호작용이 먼저 온다.

축제는 공통적인 어떤 것, 공통적인 관심을 갖는 어떤 것을 가진 그런 사람들 사이에서 일어난다. 당분간 우리는 낡은 관습에 기초하여 계속하겠지만, 그러면 전통은 더욱 희미해지고, 아파서 모습을 보이지 않는 것이 증가하고, 친척들은 어떤 주의도 기울이지 않는다….

마을 생활은 복수의 상호 관련된 바퀴들로 이루어진 삶이다. 시작, 끝, 그리고 아마 다시 한 번 더 시작. 완전한 순환.

5.6 반항[반란]

몇 년 전 비다로슨에서 반란이 일어났다.

마을을 현대화하려고 시도했었다. 다른 어디에서나 삶은 현대적 시간에 따라 빠르고, 효율적이며, 집중화된 채 조직화되었다. 긴 정오의 중간 휴식을 위한 여지는 더 이상 없었다. 낮잠도 사라졌다. 산업화된 사회의 기계 장치는 정오에 몇 시간 동안 작동을 멈춘 채 있을 수 없다. 그리고 활동이 일이 아니라 노동일 때, 모두의 관심은 실제 생활을 시작할 수 있도록 하나의 집중된 노력으로 모든 것을 마치는 것이다. 휴가. 비다로슌에서는 긴 정오 휴식 시간을 줄이게 되면 오후와 저녁에 창조적인 문화 활동을 위해 더 많은 시간을 쓸 수 있을 거라고 주장되었다. 따라서 정오의 중간 휴식 시간은 반으로 축소됐고, 모두가 오후에 한 시간 일찍 집으로 갔다.

그것은 여름에서 크리스마스까지 지속됐다. 그러고 나서 소동이 일어났다. 한 마을 모임에서 몇몇 사람 — 대부분 중증 장애가 있다고 상정되는 — 이 일어나 예전 시간으로 돌아가자고 요구했다. 그들은 새로운 시간에 대해 두 가지 불평을 했다. 첫째, 일이 너무 소모적으로 되었다. 즉, 일에서의 기쁨이 사라졌다. 둘째, 그리고 이것이 중요한 점인 것 같았다. 즉, 마을에서 다른 사람들을, 특히 장애가 없다고 생각되는 사람들을 만나는 게 너무 어려워졌다. 마치 그들 모두가 일이 멈추자마자 사라지는 것 같았다.

물론 그들은 사라졌다. 새로운 리듬은 산업화된 삶에 적응하는 것이었고, 인간들은 주어진 새로운 가능성에 적응하였다. 일은 노동이 되었고, 노동 외의 시간은 빈 시간이 되었다. 그리고 그것은 개인적 흥미에 따라 채워지게 되었다. 사적인 참호 구축 과정이 시작되었다. 독서, 외로운 산책, 장거리 방문이 있었다. [그것들은] 사회 일반에서 당연하게 여겨지는 유형의 가치 있는 활동들이다. 마을에서의 삶은 보통 사회에서의 삶과 더 비슷해졌다. 이것에서 얻는 이득은 의도됐지만, 산업화된 삶에 맞춰지지 않는 사람들 사이에서의 외로움의 대가는 의도되지 않았다.

자주 그렇듯이, 마을에서 일어난 일은 단지 전체 사회에서 일어난 일의 삽화일 뿐이다. 시간의 조직은 권력 행사의 한 결과이다. 노동 시간의 집중은 우리 가운데 가장 잘 적응할 수 있는 사람들에게는 일종의 이중 이익을 준다. 노동의 요구와 관련해, 우리는 다른 장소들에서 많은 의무들을 피할 수 있다. 게다가 완전하게 숨는 것이 가능할 때, 장기간의 휴가가 온다. 토요일과 일요일 그리고 긴 휴가 기간 동안, 대부분의 엘리트들은 그들의 다양한 비밀 은신처로 떠난다. 집에는 노인들, 환자들, 부적응자들, 그리고 무엇보다도 가장 중요한 사람들 — 다른 청소년들 — 로부터 멀리 떨어져 있는 걸 내켜하지 않는 청소년들이 남아 있다. 혁명적인 사회 개혁은 장기 휴가를 폐지하고 토요일에 일을 재도입하는 것이겠지만, 동시에 임금을 받는 일에서 일일 노동시간 수를 축소하는 것이다. 하루에 네 시간에서 다섯 시간, 일주일에 6일, 1년에 50주[일을 하는 것]는 노인, 외국인, 다른 특별한 범주의 사람들에게는 예상 가능한 다른 어떤 개혁보다도 더 많은 것을 의미할 것이다.

비다로슨에 반란이 일어났다. 긴 정오 휴식이 있는 과거 체계로 돌아가기로 합의가 됐다. 그것은 일 년의 시행 기간 동안에 이루어져야 했다. 현재 여러 해가 지나갔고, 새로운 현대화 시도의 제안은 없다고 들었다. 하지만 나는 여전히 일이 노동이 되었던 끔찍한 기간에 대해 얘기하는 마을 사람들을 만나곤 한다.

토요일에 쉬는 것은 현대화의 또 다른 사례를 상징했다. 다시 그것은 명백하다. 다른 어디에서나 토요일은 휴일이었다. 왜 여기 역시 아니겠는가? 하지만 마을에서 이것은 문제를 의미했다. 기본적으로 토요일이 되었을 때, 집들은 깨끗했다. 청소는 평일에 오는 노동자들을 위한 일[직업]이었다. 쇼핑은 우리 사회와 같은 사회들에서 빈 시간에 대처하는 또 다른 주요 방법이다. 하지만 이것은 사적 소유가 낮게 평가되는 마을들에서는 좋은 선택이 아니다. 그래서 토요일 아침은 실제로 많은 사람에 의해 빈 시간으로 경험되었다. 토요일 정오까지 일이 재도입되었을 때, 그것은 많은 사람들에게 안도감으로 다가왔다.

6. 문화

6.1 기본적인 생각

다섯 가지 주요 생각은 이 마을들에서 자주 표현된다. 첫째
는, 이론이 아닌 개인 생활에서의 실천으로서 활발한 코뮤니즘
communism의 중요성이다. 둘째는, 첫 번째와 관계 있는, 공동
생활이다. 셋째는, 환생이란 생각이다. 그리고 넷째는, 특히 평
생 동안의 공부라는, 우리가 지적인 프로젝트라고 부를 수 있
는 것의 중요성을 받아들이는 것이다.

코뮤니즘은 1905년에 루돌프 슈타이너에 의해 정식화된 낡은
유형에 속한다. 핵심 논지는 다음과 같다.

함께 일하는 주민 집단의 복지가 더 좋아질수록, 각 개인은 자신을
위한 노동의 이익을 더 적게 요구한다. 이것은 다른 협력자들에게

주어진 그녀나 그의 수입이 더 많을수록, 그녀나 그 자신의 상품들 가운데 더 많은 것이 그녀나 그 자신에 의해서가 아니라 다른 사람들의 노동에 의해서 감당된다는 것을 의미한다.

이것은 마을에서 모자 속에 넣어 두는 돈의 원리와 공유 뒤에 숨어 있는 생각이다.

공동생활이란 생각은 긴 역사적 전통에 기초해 있다. 카를 쾨니히(Karl König, 1960)는 그것의 기원을 1610년에 발간된 종교 형제회(장미십자가단)들에 관한 작은 책으로 거슬러 올라가 찾지만, 가장 오래된 기독교 공동체들로 거슬러 올라가는 것이 나았을 것이다. 특히 그는 그것을 4명의 위대한 사상가이자 개혁가들과 연결한다.

요한 아모스 코메니우스Johann Amos Comenius(1592~1670)
루드비히 친첸도르프 백작Count Ludwig Zinzendorf(1700~1760)
로버트 오언Robert Owen(1771~1885)
루돌프 슈타이너Rudolf Steiner(1861~1925)

교육 사상으로 유명한 코메니우스는 오랜 기간 동안 전 유럽의 가장 중요한 선생이었고, 보헤미안 모라비안 형제단Bohemian Moravian Brotherhood의 주교였다. 친첸도르프는 그 일을 계속했고, 신도들과 조직들을 전 유럽에 걸쳐 만들어 냈다. 사상가이자 개혁가인 이 두 사람은 모두 대안적 기독교의 심층에 자리한 흐름undercurrent을 대변했다. 이 흐름은 교황으로부터 끊임없는 감시와 공격의 대상이었다. 이 흐름은 함께 살아가는 사람들 사이에서의 공동생활, 자원 공유, 고해를 통한 내적 차이들의 수용을 강조하는 사회적 형태들을 가지고 감시와 공격을 무력화시켰다. 로버트 오언은 일반적으로 영국에서 사회주의 전통을 창건한 사람으로 여겨진다. 그는 자신이 기업가였지만, 산업 체계의 사악한 측면에 어떻게 대처할 것인지에 대한 정교한 생각들을 가지고 있었다. 그의 기업들industries은 모델이 되었고, 일정 기간 동안 모든 사람에게 높게 평가받았다. 후에 영국과 다른 곳의 기성 사회establishment는 그와 대립하게 되었고, 비록 항상 양가감정이 병존하는 관계에 있었지만, 그는 부득이하게 노동당 쪽에 더 가깝게 다가갔다. 1821년에 농업과 산업을 병행하는 협동 마을들에 관한 그의 유토피아적인 원칙들이 나왔다. 영국과 미국에서 여러 협동 마을이 만들어졌다. 캠프힐Camphill 마을들과의 유사점은 루뎅(Rudeng, 1980 vol. 5. p. 68)이 그곳들에서 이루어진 일부 활동을 묘사할 때 눈에 띈다.

… 예를 들어 대안적인 공동 건물들('과학 홀Halls of Science'), 잡지들, 노래책들, 결혼 의례들로 이루어진 급진적인 정치 문화가 창조되었다. 축제들이 계획됐다. 여기서 거대한 물리적·화학적 실험들, 춤

추기, 그리고 차 마시기가 벌어졌다. 기술과 자연과학은 매우 중요하였다. 운동은 새로운 기술 발전들을 적용한, 사회적으로 책임 있는 방식들, 삶을 위해 생산과 집합체들을 조직하는 편리한 방식들에 대해 책을 쓴 제화공과 공예가를 포함하였다. 생명 역학적인 영농과 생태학에 대한 생각들이 기대되었다. 마찬가지로 바람, 태양 그리고 조류에서 얻는 에너지에 관한 생각들도 기대되었다.

세 번째 기본적인 생각은, 신체는 훨씬 더 영원한 요소 — 영혼 — 의 잠정적인 운반체일 뿐이라는 것이다. 우리 시대에는 이상한 믿음이다. 하지만 이상한 것은 우리 시대이지 그 생각이 아니다. 환생에 대한 믿음은 많은 문화에서 나타나고, 흥미로운 사회적 결과들을 지닌 생각이다. 특히 주위에 평범하지 않은 사람들이 많이 있을 때, 그것은 중요한 생각이다. 어떤 사람들은 자신들의 행동을 통해 짜증을 낼 것이다. 어떤 사람들은 어떻게 행동하고 어떻게 보는지에 대한 통상적인 표준들과 상당히 단절되어 있다. 어떤 얼굴들은 처음 볼 때는 다소 역겹고, 그리고 적어도 불쾌하게 보일 것이다. 그들과 가까운 사람들에게 이 특성은 곧 별로 중요하지 않게 될 것이다. 환생이란 생각은 같은 방향으로 자극을 준다. 신체는 단지 포장지라는 암시를 준다. 내부에는 위엄 있는 영혼이 있다. 이것은 곧 다른 신체에서 지속되는 것이다. 만약 그것이 환생이란 생각을 받아들이느냐 혹은 거부하느냐의 문제라면, 이런 생각을 받아들이는 사람들은 아마 평범하지 않은 사람들과의 관계에서 유리할 것이다.

　네 번째 공통된 생각은 **연구와 지적인 개입의 중요성**에 대한 민음이다. 아주 많은 사람들이 읽거나 쓸 수 없는 이 마을들에서는 기본적으로 지적인 지향이 강하다. 언제 어디를 가나 연구 모임, 세미나, 과제, 수업이 진행되고 있다. 할 수 있는 사람들은 종종 다른 배움의 장소들(다른 마을들을 의미한다), 또한 마을 안팎에서 계획된 전국적 또는 국제적 모임들에 참가하기 위해 멀리 여행한다. 비다로슨에서는 의학·경제에 대한 세미나, 또는 음악이나 춤의 축제가 끊임없이 열리고 있다. 마을에서 살거나 마을들을 방문해 보면, 내가 아는 어떤 대학보다 이 마을들의 지식인들 사이에 더 많은 것이 있다는 것에 대해 나는 계속해서 감명을 받곤 한다. 마을에는 불타는 호기심이 있다. 알려는 의지가 있다. 그 목적을 위해 희생할 의지가 있다. 일주일에 며칠 밤마다 열리는 모두를 위한 문화 프로그램들, 그리고 종종 대부분의 사람들이 잠을 자러 간 뒤의 특별 스터디 그룹. 아침에는 지치고 찌푸린 눈, 그 다음 들이나 다른 일터에서, 또는 빵집에서 힘들게 일하는 긴 하루, 하지만 그 다음은 정오의 중간 휴식 중에 30분 동안 독서를 하고, 그러고 나면 저녁에는 오슬로에서 열리는 저녁 콘서트에 참석하기 위해 마을 사람들과 먼 여행을 한다.

　다섯 번째 기본적인 생각은 이 책의 초고를 돌려본 결과 표면에 떠올랐다. 마을들에서의 일요일을 묘사하면서, 나는 대다수가 교회에 간다고 썼었다. 반응은 폭발적이었다. "세상에, 우리는 교회가 없어요!" 그런 다음 나는 영국 마을들에서 사용된다고 들었던 "예배당chapel"이란 용어를 썼다. 하지만 다시 빗나갔다. 영국인들은 이 점에서 모두 틀렸다. "그렇다면, 당신들은 교회도 아니고 예배당도 아닌 그 집을 내가 뭐라고 부르기를 원하나요?" "우리가 그 건물에 독자적으로 붙인 이름, '안드레아스-비겟Andreas-bygget(건물)'이라 부르세요."

물론, 나는 그것을 보았어야 했다. 마을 문화에는 형식적인 분류 체계들에 대한 불신과, 지적장애인·직원·의사·보조자·관리자와 같은 용어들을 사용하지 않으려는 의지가 강하다. 마찬가지로, 종교, 문화 또는 정치에 접근할 때, 교조적인 분류 체계들에 포획되지 않으려는 바람이 크다. 마을에는 교회가 없다. 그런 이름이 붙은 집이 있다. 신부는 없고, 예배를 수행하는 개인 이름을 가진 한 사람이 있을 뿐이다. 관리자는 없지만, 문서에 서명하는 사람은 있다. 직원staff은 없지만, 활동하는 사람들은 있다. 연금 수급자들은 없지만, 얼마간 힘이 남아 있는 한 어떤 일이든 하려는 사람들이 있다. 그리고 생각을 표현할 수 있는 한, 마을에는 지적장애인 또는 정신이상자는 없고, 단지 사람들이 있을 뿐이다. 사회 일반에서, 그리고 특히 다양한 전문가 집단에서 생겨난 범주들은 사상과 인간 잠재성의 발달에 위험하다.

카를 쾨니히의 저서 속에 이 모든 생각이 수렴된다. 그가 돌봄이 필요한 어린이들을 위한 초등학교를 설립했을 때, 그는 영국에 망명중이었다. 그 자신의 말(König, 1935. 재판 1960, p. 9)을 들어보자.

시작부터 우리 앞에는 '치유 교육'이라는 정해진 과제가 있었다. 우리 중 일부는 이 일을 위해 훈련되었고, 나머지는 커서 하려고 했다. 우리는 이 일을 달성하는 것이 특별한 종류의 임무라고 느꼈다. 우리는 장애가 있는 어린이들에 대한 새로운 이해를 루돌프 슈타이너에게서 배웠고, 대륙과 영국의 여러 가정과 학교에서 이 일[치유 교육]을 보았다. 이미 현존하는 장소들에다 또 다른 장소를 추가하는 것이 우리의 첫 번째 목표였다.

동시에, 우리는 장애 어린이들이 그 당시에 우리들과 비슷한 위치에 있다고 어렴풋이 느꼈다. 그들은 자신들을 공동체의 일부로서 받아들이기를 원하지 않는 사회에서 온 망명자[피난민]들이었다. 우리는 정치적 망명자들이었고, 이 어린이들은 사회적 망명자들이었다.

6.2 또 하나의 유산

마을들에서 사는 동안 또는 마을들에 대해 생각하는 동안, 때때로 내 마음속에서 그림들이 떠오른다. 다른 설정들, 다른 시간들. 한 소녀, 검은 머리카락, 조금 잘못된 노르웨이어를 말하는, 바이올린, 오슬로 부르주아지에 속한 낯선[외국] 새. 내가 미국에서 같이 살았던 몇몇 가족들. 예루살렘과 텔아비브에서 만난 사람들. 그러고 나면, 고발서로서 츠보로브스키Mark Zborowski와 헤르초크Elizabeth Herzog(1952)가 쓴 책, 『생명은 사람들과 함께 있다. 동유럽의 작은 유대인 마을』.[1]

그 책은 더 이상 존재하지 않는 문화에 대한 인류학적 연구라고 마거릿 미드는 그녀의 서문(p. 10)에서 말한다. 나는 그녀가 틀렸다고 생각한다. 츠보로브스키와 헤르초크를 읽으면, 그 문화의 부분들은 존재하지만, 다른 포장지 속에서 존재한다는 것을 지속적으로 상기시킨다. 독서는 캠프힐 마을들에서의 생활을 지속적으로 상기시킨다. 마을들이 유대인 마을이어서가 아니다. 그들은 유대인이 아니다. 마을 사람들이 유대인을 사로잡은 그러한 신학적 문제들에 대해 특별히 흥미를 느끼기 때문이 아니다. 그들이 특별히 가난하고, 차별받고, 탄압받기 때문도 아니다. 그들이 지적인 발전의 중요성과 배움의 생활에 대한 존중을 나누고, 그들의 문화적·사회적 형식들이 두드러진 유사성을 드러내기 때문이다.

작은 유대인 타운들 — 유대인 촌 — 에서는 또는 유대인이 살았던 타운의 일부였던 그곳들에서는, 한가할 시간이 없다. 어린이들은 서너 살이 되면 학교에 갔다. 학교에서의 하루는

1. 이 책에 관심을 갖게 해준 Berthold Grunfeld에게 감사한다.

아침 8시부터 저녁 6시까지 진행됐고, 고등교육에서는 책을 벗어나 네다섯 시간의 수면이 필요하다고 여겨졌다. 유대교 회당들은 회당이자 대학이었다. 상위 계층 남자들은 모두 독서와 토론을 위해 가능한 모든 시간을 할애했다. 또한 의례에는 참여하지만 개인적으로 지적 생활에는 참여하지 않는 하위 계층에 속한 큰 분파가 있었다. 하지만 그들에게도 이상은 분명했다. 즉, 가장 큰 존경을 받는 것은 다른 무엇보다도 자신들의 지적 능력을 연마했던 사람들이었다. 지식이 있는 사람들은, 심원한 사유를 상징하듯, 근엄하게 걸었으며, 강렬하게 빛났던 심도 있는 지적 토론 외에는 지친 눈을 지닌 채, 도덕적 문제에서뿐만 아니라 모든 실천적 문제에서 조언자들이 되었다. 매일 마주치는 것이 그들의 시험 문제였다.

유대인 촌의 의식 또한 마을들을 상기시킨다. 안식일 저녁은 신이 주는 미래 세계에 대한 맛보기로 여겨진다. 손님이 없으면 어떤 안식일도 완전하지 않기 때문에, 가급적이면 많은 손님들을 참석케 할 것이다. 츠보로브스키와 헤르초크가 다음과 같이 진술한 대로.

안식일의 계명을 충족시키지 못하는 사람은 전체 율법에 어긋나는 죄를 짓는 것이다. 하지만 안식일의 기쁨, "보크vokh"[일상생활, 노르웨이어로는 "베르닥슬리hverdagslig," 지은이]를 피할 기회와, 가족과 공동체에서 가장 사랑받는 활동인 율법의 연구에 온종일을 바칠 기회는 유대인 촌의 독실한 유대인들을 고무한다. 그것은 그의 심장을 기쁨과 자부심으로, 또한 ─ 안식일 금지라는 불안으로부터 벗어났지만 ─ 안식일과 보크 사이에서 축복받은 차이를 즐길 수 없는 그의 이웃인 농민에 대한 연민으로 채운다. (Mark Zborowski & Elizabeth Herzog, 1952, p. 60)

그럼 이제 마을들로 돌아가자. 마을들의 성경 저녁은 안식일과 비교되는 특질을 지니고 있다. 좋은 토론과 함께 평온이 유지되고, 손님이 참석하고, 의례화된 식사가 이루어진다. 예배일이 가까워지면 저녁에 자주 수업이 있다. 그리고 가장 높은 위치에 있는 사람들에게는 인지학의 창시자인 루돌프 슈타이너의 책과 성경에 대한 연구가 강조된다.

슈타이너는 믿을 수 없을 만큼 생산적인 저자였고, 그 주위에는 일군의 사람들이 있어 그의 강의를 대부분 기록하였다. 슈타이너가 쓴 약 50권의 책과 4,000편의 글, 그리고 강의들이 있다고 추정된다(Hansman, 1989). 그것들 모두가 똑같이 수정처럼 분명하지는 않다. 성경처럼, 해석의 여지와 필요가 있다. 그는 건축술에 대해 썼고, 건물을 지었다. 그는 교육에 대해 썼고, 학교를 세웠다. 그는 의학에 관해 썼고, 추종자들이 병원을 지었다. 그는 농장에 대해 썼고, 생명 역학적 농장이 만들어졌다. 그는 새로운 사회 조직 방식에 대해 썼고, 마을들은 어느 정도 그 방식에 따라 생활을 배열하려고 했다. 그리고 그는 신비한 일들에 대해 썼고, 그 원고들은 전 세계에 걸쳐 있는 많은 인지학자들에 의해 열심히 연구되었다. 요컨대, 루돌프 슈타이너와 그의 추종자들은 시멘트를 섞는 법에 대한 가장 신비스런 지혜로부터 세세하고 구체적인 설명들에 이르기까지 예외적으로 많은 것을 생산했다. 그것은 생활의 대부분 영역들과 관련돼 있으며, 종종 독자들에 의한 상이한 해석에 열려 있다. 그리고 항상 자신의 능력을 키우는 것이 인간에게 주어진 일차적 책임이라는 분명하고도 암묵적인 메시지를 지니고 있다.

유대인 촌을 마을들과, 그리고 토라Torah[2]를 슈타이너의 글과 비교하는 것은 그 유추를 과도하게 확장하는 것이고, 또한 [그것 사이에는] 현저한 차이가 있다. 마을들은 남성 지배적이지 않다. 반대로 여성들은, 유대인 촌과 평범한 사회에서의 생활과 비교해, 예외적으로 강력한 지위를 지닌다. 그리고 마을들은 어떤 특별한 인종 또는 민족에 종속될 것을 결코 강요하지 않는다. 한편, 유대인들과 그들을 아는 사람들은 이러한 유추를 통해 마을들을 더 잘 이해할 것이고, 다른 사람들은 유대인들에 대해 더 잘 이해할 수 있다. 그리고 그 유추를 옹호하는 또 한 가지 핵심은 마을들의 역사이다.

설립자는 카를 쾨니히였다. 그는 빈에서 아주 성공한 의사였

---

2. 구약성서의 첫 다섯 편으로, 창세기 · 탈출기 · 레위기 · 민수기 · 신명기를 말한다. 흔히 모세오경이나 모세율법이라고도 하며, 유대교에서 가장 중요한 문서이다: 옮긴이.

고, 종교는 기독교였지만, 유대인 부모와 빈의 오래된 유대인 지역에서 어린 시절을 보냈다. 일군의 친구들과 함께, 그는 나치가 위협하는 오스트리아에서 어떻게 새로운 사회를 창조할 것인가에 대한 생각들을 발전시켰다. 그러고 나서 히틀러가 등장했고, 그 친구들은 대부분 흩어졌지만, 영국에서 다시 만났다. 여기에서 장애 어린이들을 위한 첫 번째 학교가 설립됐다. 이것에서 캠프힐이라 불리는 마을 운동이 생겨났다. 빈에서 온 집단이 설립자들이었다. 지도적인 인물들은 유대교적 배경을 지녔다. 그들은 기독교로 개종했지만, 유대인 촌의 아이들이었다. 그들은 공동생활이라는 전통에서 자랐지만, 마을에서는 그것이 총체적인 집합적 삶으로 바뀌었다. 그들은 안식일 저녁에 익숙했고, 마을에서는 그것이 성경 저녁으로 바뀌었다. 그리고 그들은 연구를 깊이 존경하는 마음을 지니고 있었다. 연구는 토라에서 인지학으로 바뀌었다. 게다가 오래된 기독교 공동체들, 형제회들, 그리고 친첸도르프로부터 다른 자극을 받았다. 쾨니히의 부인은 그 전통에 속해 있었고, 미적인 자극과 마을들의 일상생활에서 발견할 수 있는 의례 형식들을 강화하는 데 큰 영향을 미친 것으로 보인다.

6.3 대학으로서 마을

매년 다소 평범하지 않은 세미나가 노르웨이에서 열린다. 이 세미나는 공식적으로 지적장애인 그리고/또는 국가 연금 수급 자격이 있는 다른 중증 장애인들을 위해 그리고 그 사람들에 의해 계획된다. 프로그램뿐만 아니라 실제 계획과 토론 등 모든 과정이 그들에 의해 결정된다.

나는 이 세미나에서 강연하도록 마을 사람들로부터 초대받는 행운을 여러 번 누렸다. 그리고 내가 행운이라고 말할 때, 그것은 정말 행운을 의미한다. 왜 그런지 설명해 보겠다.

모든 말을 알아들을 수는 없는 사람들 또는 모든 종류의 언어적 추론을 이해하는 데 통상 필요한 것보다 더 많은 시간이 필요한 사람들에게 강의할 때, 어떤 문제든 즉각 그 중심으로 가는 것이 중요하다. 주요한 주제는 주요한 메시지여야 한다. 만약 처벌이 화제라면, 의도적인 형벌 가하기가 중심에 있어야 하고, 고문에 대해서는 푸코(1977)를 통해서, 또는 독일 수용소에서 공개적으로 태형을 당한 데 대해 어떻게 느꼈는지에 대해서는 당시 오슬로 대학 총장으로 선출된 세이프Seip(1946)[3]를 통해서 구체적으로 이야기돼야 한다. 마찬가지로, 만약 정의[사법]가 주제라면, 다양한 철학자들에게 관심을 집중할 수는 없

3.『집과 적의 나라에서』(1946)에서 나치수용소 생활을 기록하였다: 옮긴이.

다. 중심에는 주요 문장들로 연결된, 정의[사법]의 딜레마에 관한 구체적인 예가 있어야 한다.

대학에 있는 많은 사람들처럼, 나도 보통 강의할 때 하나의 문제가 있다. 시간이 너무 짧다. 말할 것이 너무 많다. 참고 서적들, 인용문들, 관련 생각들, 마땅한 영예를 누려야 할 과거의 거장들이 있다. 현장에서 여러 해를 보낸 뒤에야 사람들은 많은 것을 알게 된다. 평범한 사람들이나 다소 평범하지 않은 사람들과 함께 상황에 도전하면, 이 모든 것은 변한다. 갑자기 내가 아는 모든 것이 알 만한 가치가 있는지 더 이상 분명하지 않다. 그러나 작은 부분들이 중요하다. 이 작은 부분들, 즉 본질은 예외적인 사람[장애인]들이 있을 때 전면에 드러날 수밖에 없다.

하지만 이 방식에서 누군가는 아주 오래전 상황으로 돌아갈 것을 강요받는다. 누군가는 관계된 사람들이 만나서 공통 관심사들에 대해 대화를 나누는 것이 주된 기능이었던 대학으로 돌아갈 것을 강요받는다. 소수의 학문들, 소수의 교사들. 그처럼 소수여서 그들은 서로에게 향하도록 강요받고, 그렇게 함으로써 보편적인 것으로 향하도록 강요받는다.

과도한 성장은 현대 대학들의 운명이다. 이 성장은 전문화를 위한 비옥한 토대를 만든다. 전문화와 더불어 전문 분야 안에서 동료들과 함께 모든 시간을 보낼 가능성이 뒤따른다. 동시에 중심적 사항들과 왜 그것들이 중심적인지 설명할 필요가 사라진다. '대학'은 편지지 윗부분의 [발신인] 표시이다. 지식의 원리들을 찾는 카페가 더 정확할 수 있다. 비다로슨의 평범하지 않은 사람들이 청중으로 있을 때, 나는 다른 어떤 모임에서보다 더 대학 교수처럼 느낀다.

지체장애인이라고 생각되는 사람들을 위해 그리고 그 사람들에 의한 세미나에 덧붙여, 나는 또한 비교적 자주 [장애인과 비장애인] 혼합 집단들에게도 강의했다. 평범하지 않은 사람[장애인]들에게 좀 더 자주 강의했다. 어느 한 학기에 나는 나의 '보통' 학생들과 비다로슨에서 온 한 집단을 위해 대학에서 합동 강의를 했다. 주제는 정의[사법]의 원칙이었다. 어떤 학생들은 곧바로 그만뒀다. 그들은 강의에 흥미를 느끼지 못했거나 함께 있는 사람들이 품위 없다고 여겼을 것이다. 다른 학생들은 머물렀고 감사를 표했다. 그들은 그 주제에 관해 평소보다 더 많은 것을 얻었다고 말했다. 특히 그들은 꽤 많은 시간을 문제의 핵심에 쏟았다고 평가하였다. 내 자신의 느낌은 나도 결국은 충분히 초보적일 수 있다는 것이었다. 나는 아마도 때때로 겁에 질려 허둥대고, 내가 말하려는 모든 것이 분명하다고 생각하는 유일한 강사는 아닐 것이다. 청중 가운데 멀리 구석진 곳에는 내가 영리하다고 생각하는 한 학생이 있다. 그리고 거기에는 두 학기 전에 내 강의를 들은 학생이 한 명 있다. 아마 그들은 강의 내용을 전부 알 것이다. 설명하는 대신에 나는 짧게 잘라 말한다. 추론 대신에 학생들은 주제와 범주들을 받는다. 청중 속에 온갖 부류의 사람들이 있을 때 침착해지기가 더 쉽다. 설명하려고 하지만 그 시도들은 성공하지 못할 수 있다. 하지만 시도는 한다.

게다가 열의가 있다. 마을에서 온 평범하지 않은 사람들이 있으면, 종종 우정, 일종의 열린 수용성, 열의가 형성된다. 어떤 사람은 내가 기대하지 않았던 지점에서 웃을 것이다. 어떤 사람은 기대하지 않았던 리듬 속에서 자신의 몸을 움직이고, 어떤 사람은 침묵이 지배하는 곳에서 소리를 내지를 것이다. 하지만 청중 안에는 기쁨을 전염시키는 분위기가 있다. 일부 사람들에게는 공통된 열의를 즐기면서, 전체의 한 부분으로서 단지 거기에 있다는 기쁨이 있다. 어떤 사람들은 강의에서 농담을 즐기며 간절하게 다음 시간을 기다리는 반면에, 다른 사람들은 추론, 이해하기 위한 싸움, 얻게 된 통찰력의 쾌락을 즐긴다. 따뜻한 느낌들, 좋은 떨림들. 배움을 위한 좋은 분위기이다.

때때로 마을 사람들에게 강의할 때, 나는 1968년 이후 언젠가 버클리에서 강의할 때와 같은 것을 느낀다. 같은 호기심. 같은 기쁨. 내부로 향하는 것이 아니라, 공통적이고 때때로 매우 자극적인 열의 속에 관대하게 공유되는 느낌들. 폴 라자스펠드 Paul Lazarsfeld[4] 교수가 오슬로를 방문했을 때, 약간은 회의적인 일단의 노르웨이 학자들에게, 미국 학생들 사이에 퍼져 있던 열

---

4. 컬럼비아 대학교 사회학과: 옮긴이.

의에 대해 말했던 것을 나는 기억한다. 그 학생들 가운데 한 명이 "교수님, 빌어먹게 좋은 강의였어요"라고 외치며 라자스펠드 교수의 등을 때렸다. 보통의 스칸디나비아 학생들 사이에서는 드문 행동이다. 하지만 통상적이지 않은 사람[장애인]들 사이에서는 통상적인 행동이다.

6.4 학생으로서 마을 사람

하지만 이게 정말 사실일까? 그들은 이해할까? 정상이라고 여겨지는 사람들이 삶과 강의를 즐길 수 있고, 그래서 마을 사람들에게도 마찬가지로 좋다고 믿기 위한, 단지 정중한 핑계가 아닌가? 그들은 단지 거짓으로 꾸민 채 강의실을 가득 채우고, 또는 강의와 관련 없는 음악을 듣는 것이 아닐까?

　나는 확실히는 알 수 없다. 하지만 쓰라린 경험을 통해 내가 말할 수 있게 된 것은, 마을 사람들은 식별 능력이 있다는 것이다. 나는 마을에서 강사로서 심각한 패배[좌절]를 맛보았다. 관심 없는 강의, 청중으로부터 반응이 없는 강의였다. 단지 정중함이 있었다. 이 패배는 두 가지 상반된 이유 때문에 일어났다. 한 극단에서 나는 특히 내가 말하려는 것에 대해 그들에게 이야기하는 데 많은 시간을 보냈으며, 그 분야에 손댔던 다른 모든 사람에 대해 참고하는 전통을 따르는 데서 아카데믹한 과장에 빠졌다. 다른 패배는 재미에 관한 측면이다. 청중을 지루하게 만드는 것에 대한 공포로 인해, 나는 복잡한 문제들을 빠뜨리거나 강의에서 요점에 대한 적절한 설명이 아니라 단지 농담으로 문제들을 포장했다. 승리는 내가 감히 직접, 진지하게, 그리고 가능한 한 작고 구체적인 이야기나 우화 들로 추론을 제시하며 요점에 다가갔을 때 왔다. 도움을 준 것 또한 구체적인 설명들이었다.

　게다가 더 깊은 가능성이 있다. 우리는 서로에게 다가가는 방법을 어떻게 알 수 있을까? 개념을 통해, 소리를 통해, 연출된 분위기를 통해, 사람들 사이의 아주 생동감 있는 떨림들의 만남을 통해? 내가 이것을 쓰기 전날, 나는 친구로부터 그녀의 그림 전시회 초대장을 받았다. 초대장에는 작가 군나르 에켈뢰프(Gunnar Ekelöf, 1957, 스웨덴의 시인)의 다음과 같은 글이 인용되어 있었다.

　나는 영향은 믿지 않지만 공감은 믿는다. 사람은 자신의 외인부대의 수, 비밀 방어 운동을 하는 자신의 세포[소조직] 수를 안다. 물론 어떻게 예술이 존재하게 되었는지에 관한 피상적인 평가에 자기 스스로를 묶는 예술 안의 전통이 있다. 하지만 단지 하나의 전통, 내부의 전통이 존재한다. … 그것에 대해서 한 정신[영혼]에서 다른 정신으로 [넘어가는] 언어가 있다는 것 이상으로 말할 수 있는 것은 없다.

서로 다른 인간들은 종종 살아 있는 비밀들 같다. 우리는 그리 잘 알지 못한다. 이른바 자폐아들은 여러 면에서 가장 두드러진 미스터리이다. 그들 안에서 무엇이 진행되는지, 왜 그들은 말하지 않고 설명하지 않는가? 또는 한때 중증 지적장애인으로 진단받은 에바처럼 말이다. 어떤 상황에서 보이는 그녀의 수줍은 미소. 거실에서 그녀가 좋아하는 의자를 지키려는 그녀의 전략들. 그녀의 권리가 위협 받을 때 그녀가 보내는 분명한 신호들.

두 가지 주요 대안은 예외적인 사람들과의 대화에서 예상할 수 있다. 그들은 **결함**이 있거나(그들은 신체에 결함을 가지고 있고, 따라서 가장 기초적인 수준 이상에 다다를 수 없다), **단지 다르고**, 다른 부류이며, 다른 대화 유형을 갖추고 있다. 과학적인 증거들은 이 물음에 결코 도움을 주지 못할 것이다. 우리는 어떤 가설을 받아들일 것인지 결정하기 위해 다른 기준을 찾아야 한다. 의심에 대처하기 위해 통상적인 윤리에서 주요 기준을 찾을 수 있다. 즉, 만약 의심스럽다면, 가장 힘없는 그 당사자들을 위해 최선의 대안을 선택하라. 만약 의심스럽다면, 혐의자를 유죄라고 선언하지 마라. 만약 의심스럽다면, 타인을 결함이 있는 비소통자라고 생각하지 마라.

6.5 소비자 또는 생산자?

정신장애로 분류된 사람들을 위한 시설에 들어가면, 대체로 TV 세트가 가운데 놓여 있고, 만약 어떤 프로그램이라도 방송 중이면, 계속 켜져 있는 것을 발견한다. 장애인들은 세상으로 다가갈 수 없지만, 세상이 그녀 또는 그에게 온다. 현대 기술은 벽을 허물었고, 장애인들에게 무엇이 일어나는지를 더 잘 알게 했다. 보건부에 따르면, TV에 접근하는 것은 정신장애인들에게 는 인권이다. 보건부의 말을 인용해 보자.

> 만약 특수한 조건들이 그 반대를 가리키지 않는다면, 방에 자기 TV 를 가지는 것은 (이 지역의 클라이언트들에게) 분명한 권리여야 합니 다. 만약 TV를 시청할 때 높은 볼륨 때문에 이웃을 방해한다면, 그 사용자는 반드시 그에 대한 일부 제한, 궁극적으로는 TV 세트를 치 우는 것까지 받아들여야 합니다. 한편, 시설에서 클라이언트의 방 안에 있는 TV까지 전면적으로 금지할 수 없다는 것은 분명합니다. (1981년 9월 2일)

그 결정[마을에서 TV를 금지하는 것]은 정신장애인들을 위한 국가 기관의 지방 국장에게 보낸 답변의 일부였다. 그는 (그 당시에) 그의 관할구역에 있는 캠프힐 마을을 감독할 자격이 있었고, 거 기에서 진행되는 대부분의 것, 특히 모든 마을에서 TV를 금지하는 것을 매우 싫어했다.

그리고 무슨 일이 벌어졌나?

아무 일도 일어나지 않았다. TV는 청각장애인들 방 이외에는 여전히 모든 마을에서 금지되고 있다.

금지의 주요 이유는 1981년 11월에 마을에서 지방 국장의 질의에 답하며 보낸 편지에 담겨 있다. 그 대답의 본질은 TV가 마을에서의 사회생활을 죽일 것이라는 점이었다.

> 마을에서는 개인의 발의[주도권]와 대인 접촉을 자극하려고 노력합니다. TV는 이 목표들과 반대로 작동합니다. … 보통 시설들이 자극적인 활동을 너무 적게 제공하는 것이 문제입니다. 그런 상황에서 TV를 보유하는 것은 확실히 이해할 수 있습니다. 하지만 마을에서의 상황은 반대입니다. 문화적·사회적 활동이 거의 매일 저녁마다 진행됩니다….

마을은 활동과 상호작용에 근거한다. 텔레비전은 수용과 소비에 근거한다. 텔레비전은 많은 사람이 소수의 사람들에 의해 생산된 생산물, 즉 쉽게 소화되는 생산물을 수용하는 수단이 되는 모델을 재현한다. 텔레비전은 산업사회의 주요 모델들과 조화를 이룬다. 텔레비전이 마을들의 사회 체계에 해로운 영향을 끼친다는 것은 매우 분명하다. 생산하는 것보다 소비하는 것이 더 쉽다.

하지만 지방 국장은 하나의 목표를 가지고 있고, 보건부도 그러하다. 대부분의 시민들은 TV 시청을 당연하게 받아들인다. 많은 학생들이 학교에서보다 스크린 앞에서 더 많은 시간을 보낸다. 나이 든 사람들은 종종 그들의 유일한 동료로서의 TV 이미지들을 가지고 있다. 마을 사람들은 TV를 보지 않을 것이라고 말하는 것은 누구인가? 또한 TV 금지는 마을 문화의 힘에 대한 약간의 불신감에 근거한다는 것도 인정해야 한다. 이 문화에는 주의를 끌기 위한 경쟁에서 TV를 이길 수 있는 충분한 힘이 없는가? 마을 사람들은 단지 대안이 부족하기 때문에 극장에 가는가?

그 문제는 개별 집에서뿐만 아니라 마을 총회에서도 계속 논의됐다. 일반적으로 텔레비전에 대해 부정적인 태도가 있는 것 같다. 하지만 반대의 목소리도 있다. 거의 모든 사람이 마을을 벗어나 개인 가정을 방문할 때 텔레비전에 익숙하다. 몇몇 사람은 그들이 선호하는 프로그램을 보길 원한다. 하지만 정신적으로 지체되어 있거나 장애가 있다고 보이지 않는 마을 사람들은 모두 텔레비전에 반대한다. 그들에게 텔레비전은 진정제이다. 그런 약물은 마을에서 환영받지 못한다. 여기서 그 문제는 미해결인 채로 있고, 아마 가까운 미래에도 그대로일 것이다.

6.6 다른 존재가 되는 것

작년에는 13편의 연극이 비다로슨에서 공연됐다. 어떤 연극은
여러 날 저녁마다 공연됐다. 그해 내내 생활은 큰 홀에서의 공
연, 즉 절정의 경험으로 이끄는 연극들의 준비 작업으로 가득
채워졌다.

모든 사람이 참여한다. 극장이라는 상상의 세계에서는 모든
사람에게 역할이 있다. 왕과 악마, 마녀, 말 없는 군인들, 기아
에 허덕이는 수용소 수용자들, 진행 요원들이 있다. 나는 단지
한 번 참여했고, 내내 그것을 싫어했다.

나는 크리스마스 연극에서 셰퍼드였다. 나는 그 전달에는 SS
대원 역할을 거절했다. 이제는 그 압력에 저항할 수 없다. 하지
만 나는 장애가 있다. 나는 어떤 대사도 제대로 외울 수 없다.
그 대사는 단지 네 줄의 시였다. 나는 비논리적인 대사라고 우
기고 싶었다. 나는 내 주머니 안에 그 대사가 적힌 작은 종잇조
각을 며칠 동안 가지고 다녔다. 단어의 순서를 기억하려고 애
썼다. 나는 4명의 연기자 가운데 한 명이었고, 그래서 내가 입
술만 움직였다는 것을 아무도 알아차리지 못하기를 바랐다. Z
— 달리는 사람 — 도 4명 가운데 한 명이었다. 그는 그 대사를
기억할 수 있었지만, 시작하기 직전에 당황해서 도망가 버렸다.
칼Karl은 언어 장애가 있었고, 말이 없었다. 3번째 전달자 카렌
은 덴마크 출신이었다. 그녀가 우리를 구했다. 대사는 분명한

덴마크어 음성으로 들렸고, 나의 부족함은 모두에게 분명해졌다. 난 대사를 외우려고 시도했는데, 마치 어떤 시도도 하지 않은 것처럼, 너무 많은 사람이 나의 실수를 도덕적인 것으로 해석했다는 것이 부가적인 괴로움이었다.

여러 해가 지난 뒤 이 경험을 생각하면서, 나는 이것을 삼중의 실패로 느낀다. 나는 외울 수가 없다. 그것이 하나이다. 하지만 더 나쁜 것은, 나는 이것을 인정할 용기가 없었다. 나는 내 장애를 드러내도록 강요받는 것이 끔찍하게 당혹스럽다고 느꼈다. 이것은 내 자신의 자연스러운 부분이 아니었다. 그리고 세 번째로, 나는 분명히 내 평소의 지위에서 벗어나는 것이 힘들었다. 이것이 네 줄의 대사를 외울 수 없었던 무능의 이유였을 것이다. 하지만 이것은 또한 현재의 지위에 대한 견고한 자기만족과 다른 길을 따르는 데 대한 망설임을 나타낼 수 있다. 연극 참여는 우리들 중에서도 잃을 게 많은 사람의 발전을 위해 매우 중요하다. 마을 사람들은 이 모든 것에 용기를 내 참여했다. Z는 달아났고, 나는 당황하였다. 우리 두 사람은 마을 생활을 특히 필요로 하는 것 같다.

7. 생활의 체현

7.1 리듬과 길

비다로슨의 집들 사이로 작은 길tracks과 큰 길roads의 복잡한 네트워크가 펼쳐져 있다. 여기에서 우리는 마을의 맥박pulse을 따를 수 있다. 차들은 억제된다. 마을 밖에 거대한 주차장이 있다. 대부분의 큰 길과 작은 길을 따라 작은 가로등이 있다. 가로등은 하늘의 별들과 경쟁하지 않도록 단지 1미터 높이에 있다. 그것들은 큰 길 위로 황량하고 희미한 빛을 비출 뿐이다. 큰 길과 작은 길은 산책을 부른다. 사회 조직도 그렇게 움직인다. 대부분의 사람들은 아침에 작업장이나 다른 집에서 일하기 위해 집에서 나가고, 정오에 집에 왔다가 다시 나가고, 저녁에 집에 왔다가 문화 활동을 위해 다시 나간다. 이 물리적 소통 체계는 지속적인 대인관계의 소통을 위한 체계가 된다. 그것은 되풀이되는 상호작용을 위한 피할 수 없는 무대가 된다. 작은 길과 큰 길의 네트워크는 마을 생활에 중요한 조건이다.

창을 통해 우리는 네트워크의 주요 결과들 가운데 하나, 즉 온갖 부류의 사람들이 섞이는 것을 관찰할 수 있다. 장애 연금이 없는 사람들과의 대화에서 침묵한다고 여겨지는 사람들. 리듬 체조 ― 일종의 교육 춤 ― 의 중요한 선생 ― 87세의 숙녀 ― 은 빙판 위에서 제빵사들 중 한 명의 정중한 팔에 의지했다. 다른 두 사람은 느리게 움직였다. 한 명은 다리가 불편했기 때문에 느리게 움직였고, 다른 한 명은 빙판길에 익숙하지 않은 나라 출신이기 때문에 느리게 움직였다.

7.2 이분법의 한계

모든 마을 사람에게 다양한 과제를 제시하는 이 네트워크는 사람들은 항상 만난다는 것을 의미한다. 그들은 지속적으로 서로의 길을 가로지른다. 예의 바른 사람이 되어 언어를 교환한다. 이성적인 사람이 되어 자신들이 생각하는 것에 대해 이야기한다. 전문 자격이 없는 사람들은 종종 특별한 책임감을 느낄 것이다. 테리에Terje는 이번 여름에 갈 곳이 없다. 우리는 유고슬라비아 여행에 그를 데리고 갈 수 있을까? 셀마 라겔로프Selma Lagerlof의 집은 다음 주말에 거의 빌 것이다. 남아 있는 사람들은 올레 불Ole Bull의 집에서 저녁을 먹을 수 있을까? 존은 제인이 놀렸기 때문에 슬프다. 당신은 제인에게 이야기할 수 있을까? 물론, 문제들은 논의된다. 논의되고 자주 해결된다. 문제들은 시설에서도 논의되었지만, 하나의 핵심적인 차이가 있다. 즉, 마을에서 논의들은 대개 자연스런 만남으로 이루어진다. 시설에서 자연스런 만남은 공식적인 모임[회의]이 된다. 직원 모임staff meeting은 '우리들'과 '그들' 사이의 구별을 공식화한다. 직원 모임에는 공식적으로 문제의 해결이 요청된다. 따라서 존과 제인은 전문가 토론을 위한 대상이 되고 클라이언트가 된다. 작은 길에서의 만남은 공식적인 권위를 상징하지 않는다. 만남은 계획되지 않고, 지위도 주어지지 않으며, 그렇기 때문에 직업적인 전문가에 의해 운영되는 대부분의 조직에서 일어나는 그렇게 불쾌한 물상화 ─ 사람들을 사물로 만드는 ─ 과정은 제한된다.

종종 우리는 모임에 너무 많은 시간을 소모한다는 말을 시설에서 일하는 사람들에게서 듣는다. 물론 그렇다. 그리고 정당하게도, 참여자들은 클라이언트[1]들을 볼 시간이 없다고 불평한다. 그들은 클라이언트를 만들어 내는 회의로 몹시 바쁘기 때문에, 시간이 없다. 해결책은 반드시 더 많은 직원이 아니다. 답은 생각들에서 찾을 수 있고, 그것은 '우리와 그들,' 주체와 객

---

1. 전문적인 서비스를 찾거나 제공받는 개인, 집단, 가족 및 지역사회: 옮긴이.

체, 전문적인 것과 사물[명시되어 있지 않은 것]이란 이분법을 깨는 조직적인 실천이다.

7.3 브뤼헐의 그림

마을에 오는 것은 중세 시대의 시장에 오는 것과 같다. 브뤼헐[2]의 그림들은 마치 비다로슨에서 가져온 것 같다.

마을 밖에서 우리들 대부분은 상당히 비슷한 사람과 나란히 같이 산다. 같은 계층, 같은 교육, 같은 유형의 일·이웃·와인 취향. 여기에서는 또한 사람들의 외모조차 균질화되는 것 같다. 얼굴, 머리카락, 옷, 일상에서 자기표현, 모든 것이 하나 같아 보이고, 비슷해서 각자의 차이가 사라진다.

마을 사람들은 다른 길을, 그들 자신의 길을 간다. 세월이 흐를수록, 그들은 더욱더 통상적인 것을, 평범한 생활의 겉치장을 대수롭지 않게 여기는 것 같다. 마을에는 특별한 축제일이 있지만, 어떤 면에서는 매일 있다.

주요 도시들의 거리를 걸으면서, 나는 종종 거기서 보는 사람들과 내가 아는 마을 사람들의 어렴풋한 유사성에 충격을 받곤 한다. 이 친구는 올라와 닮은 데가 있다. 이 숙녀는 카린의

---

2. Pieter Bruegel, 네덜란드의 화가(1525?-1569). 플랑드르 미술의 대표적 풍경·풍속 화가로서 서민의 생활 정경 표현에 뛰어났다: 옮긴이.

특성을 닮았다. 하지만 마을 안에 있을 때, 난 결코 내가 아는 시내 사람들과의 유사성을 찾을 수 없다. 마을에 사는 사람들은 성격이 너무 강해서, 당신이 그들을 봐도 아무것도 비슷하지 않을 것이다. 우리는 밖에 사는 창백한 상대들에게서 마을 사람들의 특성을 상기시키는 사람을 발견할 수 있지만, 마을에 돌아와 있을 때는 창백한 상대들을 상기시키는 사람을 발견할 수 없다.

사람들은 이유 없이 [어떤] 역할을 하지 않는다. 나는 이미 하나를 지적했다. 즉, 마을에 있는 이분법의 한계이다. 직원과 클라이언트, 이들은 종종 옷과 외모에서의 차이에 의해서도 상징화되는 강한 역할들이다. 전문적인 또는 반半-전문적인 훈련은 또한 외모에서의 훈련이다. 모든 클라이언트는 또한 클라이언트로서 행동하는 법을 배운다. 클라이언트로서 행동하는 법을 배우지 않으면 종종 평범한 생활로 돌아가기 어렵다. 마을 공동체는 이분법에 반대하는 생각들을 지니며, 피할 수 없는 이분법의 부분들을 최소화하는 물리적 환경에서 산다.

브뤼헐의 모티프가 나타나는 또 다른 주요 조건은 마을 사람들의 사회 경력에서 보이는 극단적인 변이[차이]variation이다. 어떤 사람들은 폐쇄된 시설에서 오고, 어떤 사람들은 위험하다고 여겨져 온 극도로 폐쇄된 시설에서 온다. 직접 엄마의 손에 끌려오는 사람들도 있는데, 이들은 심한 응석받이여서 마을에서 필요에 의해 강제될 때까지 대부분의 일[과제]을 하지 못한다

(하지만 집으로 돌아가면 종종 퇴행하기도 한다). 어떤 사람들은 대학 학위가 있지만, 대학 밖에서는 활동할 수도 없고 그러길 원하지도 않는다. 어떤 한부모들은 많은 사람들과 있기 위해 그들의 아이들과 온다. 대부분의 사람들은 노르웨이에서 오지만, 다른 나라에서도 많은 사람들이 온다.

성격[인물]들을 창조하는 세 번째 주요 조건은 마을 안에서 같은 사람에 의해 수행되는 과제들의 극단적인 다양성이다. 페테르. 이른 아침에는 플루트 연주자이고, 아침 식사 후에는 접시를 닦고, 일하는 날에는 오전 내내 도자기를 판매해야 하고, 오후에는 미학 세미나의 학생이고, 마을 모임에 참석하리라 여겨졌던 저녁에는 도망자였다. 올가. 그녀는 친구들의 도움을 일부 받아 옷을 입고 음식을 먹었다. 누군가가 그녀와 같이 인형 작업장으로 걸어갔다 돌아왔다. 오후에는 그녀가 좋아하는 그림책을 지니고 있었지만, 누군가 의자를 옮겼을 때는 분위기가 안 좋았다. 저녁. 집-엄마는 그녀를 카페에 데려갔고, 케이크 너머로 큰 웃음이 터져 나왔다. 레이프. 벨을 울리고, 양파를 뽑고, 저녁에는 크리스마스 연극을 위한 리허설로 시간을 보냈다. 안네. 그녀는 오늘 아침 역시 그녀의 아이들을 학교 버스에 태울 준비를 하고 나서, 마을에 들어오기 위해 허락을 기다리는 지원자들의 편지에 답하고, 시범 방문이 목적인 한 명을 허락하고, 한 엄마에게서 온 전화를 받는데, 그녀의 '작은' 딸(32살)이 끔찍하게 더러운 바지를 입은 채 지난 주말에 집에 왔다고 불평한다. "미안하지만, 따님은 이제 스스로 이것을 처리해야 하며, 따님에게 시간과 신뢰를 줘야만 해요"라고 안네는 말한다. 오후에 안네는 연극에서 자신이 맡은 역할을 준비하는데 충분한 시간을 투자하지 않았다는 것을 알게 된다. 늦은 저녁에 그녀는 환생에 관한 모임에 참석한다. 일요일에 그녀는 마을에서 온 대부분의 사람들을 안드레아스-비겟에서 만난다. 마을에서 온 사람들이 전달하는 예배의 메시지는 신 앞의 평등과 관련되고, 만인이 존엄하다는 정신과 관련된다.

이 모든 것, 즉 이분법의 결여, 개인적 배경의 다양성, 그리고 과제의 다양성의 결과는 생활의 체현[인격화]personification이다. 사람들은 항상 만나지만, 그때마다 끊임없이 새로운 역할로 만난다. 집-성원으로, 목수로, 가수로, 저녁 식사를 위한 손님으로, 크리스마스 연극에서 목사로 또는 다음 연극의 고문 기술자로 만난다. 모든 과제에 예외가 있지만, 항상 모든 종류의 활동에 참여했던 더 이전 단계의 삶들을 참고한다. 이것은 우리가 우리의 주요한 배역만을 하게 되는 도시 생활과 아주 두드러지게 대비된다. 모두 알다시피, [마을 밖] 이웃 지역에 사는 간호사는 무엇보다도 한 사람의 간호사이다. 경찰은 한 사람의 경찰이다. 잠시 후 그리고 어떤 행운에 의해 그 간호사는 또한 한 사람의 간호사 이상이 되고, 경찰은 한 사람의 경찰 이상이 된다. 하지만 모자와 헬멧을 벗더라도 주요한 역할은 변하지 않는다. 마을 사람들은 정반대의 장소에 있다. 그들은 다양한 경력을 지니고, 모든 사람이 볼 수 있는 그처럼 많고 상이한 과제를 수행해서, 그들에게 하나의 역할만을 담당하게 하는 것은 자연스럽지 않다. 대신, 그들은 각양각색의 인간으로서 나선다. 그들은 그들 자신을 드러내고, 역할을 연기하기보다는 자신을 표출하는 유형, 인물이 된다. 역할은 열려 있고, 여러 사람에 의해 연기되고, 이 배우들을 예측할 수 있게 한다. 성격[인물]은 예측할 수는 있지만, 빌릴 수는 없다. 그것은 단지 하나의 특별한 개인 — 그 사람 — 에 의해 연기된다.

8. 권력

8.1 누가 결정하는가?

마을에는 지시하는 사람[지도자]도, 왕도, 의회도 없다. 누가 결정하는가?

공식적으로 그것은 아주 단순하다. 마을은 공식적 설립 규약constitution을 지닌 하나의 재단foundation을 중심으로 혼연일체가 되어 있다. 위로는 이사회가 있다. 이사회는 마을들과 밖에서, 노르웨이와 해외에서 온 평범한 사람들과 덜 평범한[장애가 있는] 사람들로 이루어져 있다. 그들은 일 년에 두 번 만난다. 만나는 날짜는 그들이 결정한다.

하지만, 물론, 그것은 이론일 뿐이다. 이사회가 자신의 권력을 사용한다면 마을들은 곧 없어질 것이다. 결정들은 사회 체계의 가솔린이다. 마을 생활은 가까운 사람들과 마주하여 자신들의 행동에 대해 통상적이지 않은 많은 개인적 책임을 시는 사람들에 기초해 있다. 위로부터의 지시[명령]들은 책임을 제거한다. 따라서 이사회는 미리 결정되지 않은 어떤 것을 결정하는 데에 극히 주저한다.[1] 이사회가 개최되기 전에, 마을들에서 온 대표들이 하루 동안 그들의 모임[회의]을 갖고 모든 문제를 논의하면서 그 대부분에 관해 의견을 모은다. 이 생각들은 이사회에 의해 평가될 것이고, 대부분 받아들여질 것이다. 때때로 의문들이 제기되는데, 그것들은 거의 항상 다음 이사회 모임 때까지 연기하는 것으로 결론이 나곤 한다. 의문들은 대부분 생각들이 충분히 명확하지 않기 때문에 제기된다. 이것은 특히 현재 핀란드, 프랑스, 아일랜드에서 온 외국인 구성원이 참여하는 이사회 모임들에서 볼 수 있다. 그들의 존재는 모두가 공통적으로 할 수 있는 유일한 언어인 영어로 말해야 하는 상황을 연출한다. 그것은 짐이지만 많은 이점도 있다. 이사회 구성원들은 더 적게 그리고 덜 유창하게 말한다. 문제들은 그리 쉽게 얼버무리고 넘어갈 수 없다. 제안들은 상당히 설득력이 떨어지는 것처럼 들린다. 문제의 핵심이 나타난다. 이사회에서 직접 새로운 생각들이 제기될 수도 있지만, 단지 마을들에서 논의될 수

---

1. 이사회는 공식적인 권력을 두 번 사용하였는데 — 이사회에서 봉사한 15년 동안 — 나는 그 두 사건을 기억한다. 두 경우에서, 나는 내가 그때 찬성했던 결정들이 그 결정들에 의해 직접적으로 영향을 받은 마을들과 사람들 모두에게 잘못됐다고 생각한다.

있는 생각들로서만이다. 결정은 결정의 결과들과 더불어 사는 사람들이 할 일이다.

각 마을의 지역 이사회들은 총 이사회와 같은 방식으로 운영된다. 그들은 일 년에 네 번 만나고, 지역 재정 상황을 조사하며, 마을 거주자들이 의심하는 문제들을 분명히 하도록 돕는다. 그들은 지역 공동체의 연결고리로서 움직인다. 하지만 이사회와 마찬가지로, 그들은 미리 결정되지 않은 것을 결정하지는 않을 것이다.

그처럼 결정은 마을에서 이루어진다. 하지만 어디로부터?

마을 밖에 있는 당국은 각 마을 안의 상부에 책임자를 두는 공식적인 구조를 갖기를 원했다. 당국은 문서상으로 이것을 갖고 있다. 하지만 나는 어떤 마을에서도 누가 책임자인지 아는 사람은 거의 없다고 생각한다. 책임자들은 대외용이다. 이 책을 쓰는 순간에, 나는 누가 다섯 마을 가운데 한 마을의 책임자인지를 기억할 수 있다.

어떤 사람들은 말할 것이다. 권력은 마을 총회에 있다고.

마을 총회는 모두를 위한 것이다. 마을 총회는 마을에 사는 모두를 위해 매주 열리는 큰 모임이다. 손님들이 종종 참석한다. 그들은 특별한 환영을 받는다. 또한 새로 온 사람들, 마을 사람들, 협력자들도 참석한다. 총회에는 논의를 주재하는 의장이 있다. 관심 있는 문제들은 마을 모임에서 채택되거나 일주일 전에 의장에게 제안된다.

모임은 지난 모임의 회의록을 읽으면서 시작된다. 청중들은 이것을 읽는 동안 유난히 집중한다. 지난 주 모임의 회의록 낭독은 그 모임을 모두 기억나게 한다. 항의와 평이 모두가 참석한 가운데 이루어진다.

불평과 제안이 많다. 길이 얼었다. 모래가 필요하다. 이 제안에 대해서 '스파르크스퇴팅sparkstøtting'(얼음 위에서 발로 차면서 갈 수 있는 썰매)을 이용하는 사람들이 강하게 저항한다. 가게들이 깨끗하지 않고, 사람들이 식사나 일을 하러 오는 데 너무 늦는다. 왜 방학 이후에 춤 수업을 다시 열지 않고, 누가 내 자전거를 가져갔고, 우리는 이번 가을에 더 많은 양초를 생산하기 위해 무엇을 할 수 있는가? 아주 종종 중증 지적장애인이나 모자란다고 분류되는 사람들이 좋은 질문을 한다. 때때로 발언권을 요청하는 사람들은 언어 능력에 문제가 있을 수 있다. 의장은 모호한 말들을 대부분 이해하고 해석할 수 있는 것처럼 보인다. 그들 자신의 비밀 언어를 지닌 A와 B를 제외하곤, 언어들은 듣기에 아름답다. 그들은 큰 박수를 받는다. 그들 중 한 소녀는 이야기한 후에는 완전히 기진맥진해한다. 땀에 젖어, 마라톤을 뛰고 난 것처럼 가쁘게 숨을 쉬며, 행복하게 웃음 지으며. 그녀는 감정이 깃든 메시지를 전달한다.

종종 참석자들 사이에 의견 충돌이 일어난다. 가혹한 말들이 오간다. 때때로 누군가는 울거나 홀을 떠난다. 내가 참석했던 마지막 모임에서, 한 마을 사람은 간질 발작을 일으켰다. 그는 조심스럽게 도움을 받으며 집으로 갔지만, 그 모임은 결코 중단되지 않았다. 간질 발작은 생활의 일부이다. 중요성이 주어지면 중요하다. 한 번은 총회가 열리는 곳 바깥에서 시위가 벌어졌다. 라디오를 둘러싸고 싸움이 있었다. 시위자들 — 다운 증후군이 있는 한 사람이 주도한 — 은 개인 방에 개인 라디오를 두길 원했다. 그들은 생각하는 대로 행동했다. 맞지 않는 새로운 일상의 리듬에 반대하는 저항은 여기에서도 일어난다.

그렇게 문제들 — 참석하는 사람들에게 관심 있는 구체적인 화제들 — 은 마을 총회에서 결정된다. 마을에 사는 사람들이 그렇게 서로에게 관심을 가진 이래로, 총회에서 무엇이 말해지는가가 중요하다. 모임 참석률은 높다. 하지만 가장 중요한 결정들의 일부는 그렇게 많은 사람들 사이에서 쉽게 조정되지 않는다. 즉, 새로운 마을들을 설립하는 것, 새로운 마을 사람들을 받아들이는 것, 새로운 집들을 짓는 것, 당국과의 새로운 유형의 관계들 등.

어디에서 이 문제들이 결정되는지 이해하기 위해, 우리는 이 마을들 안에서 좀 더 일반적인 권력 토대를 살펴봐야 한다.

마을에서 현재 공식적인 권력을 행사하는 역할들은 없다. 하지만 어떤 범주들은 다른 범주들보다 더 많은 영향력을 지닐 수 있는 가능성들을 제공한다.

연공서열은 중요하다. 또한 이 점에서 마을은 평범한 사회와 대조적이다. 마을 생활에서 반복되는 리듬은 경험을 자산으로 만든다. 오래 생활한 사람들은 관련 지식을 축적하고 있다. 위험한 도구들에 대한 제한은 또한 젊은 사업가를 끌어들이는 것에 대한 제한을 의미한다. 마찬가지로, 집단생활은 물질적 성공에 빠르게 노출되는 것에 제한을 가한다. '가장 최근의 것'에 대해서가 아니라, 영구적인 문제를 간파하는 것에 대해서 배울 것을 강조한다. 그리고 마을에서는 은퇴 연령이 없다. 참여는 삶이 끝날 때 끝난다. 많은 나이는 조건일 뿐이지 장애가 되지 않는다. 이 모든 것 때문에, 마을에 가장 오래 있었던 사람들이 대체로 가장 큰 영향력을 지닌다. 공식적인 지도자 또한 어느 정도까지는 이들 사이에서 선출된다. 하지만 나이가 많다는 것이 영향력의 보증수표는 아니다. 노르웨이에서 마을의 설립자들 가운데 세 명은 여전히 그 마을에서 살고 있다. 모두 예외적으로 크게 존경받지만, 한 명만이 전체 체계에 강력한 권력을 지닌다.

친족도 권력의 토대였다. 두 세대世代의 어른들이 때때로 마을의 체계 안에서 살고 있다. 4세대가 함께 사는 한 가족은 몇 년 동안 한 마을에서 살고 있었다. 하지만 이 관계들을 권력의 토대로 보기는 어렵다. 아주 나이가 많은 사람들은 권위보다는 돌봄이 필요하다. 그리고 마을에서 활발하게 일하는 세대들 사이에서 권력의 특별한 연합[동맹]이 발달한 것 같지도 않다. 왕조[세습] 체계들이 진화해 오지는 않았다.

하지만 성별sex은 중요하다. 대체로 노르웨이 마을들은 여성

지배적인 체계이다. 가정은 확실히 중요하다. 가족 뉴스가 많은 논의에서 중심 주제가 된다. 남성들은 참여하지만 지배하지는 않는다. 일과 기술적 지식의 무대인 전통적 남성 영역은 어떤 독점권도 지니지 못한다. 반대로 '노동자의 복지'에 대한 고려는 높은 우선권을 부여 받는다. 문화생활은 여성과 남성 모두에게 공평하게 관련된 주제들로 채워져 있다. 이 모든 것의 전체적인 결과는, 이 마을들은 남성 지배를 위한 통상적인 사육지를 제공하지 않는다는 것이다. 이런 상황에서, 힘 있는 여성들이 결정을 내릴 때 전면에 나선다.

내 생각에, 마을에서의 영향력은 두 가지 요구의 충족에 기초한다. 첫째, 일반 필요조건으로서, 영향력을 지니기 위해서는 생활의 세 가지 일반 영역, 즉 살림, 일, 문화 활동 모두에서 전반적인 참여 요구에 대처할 필요가 있다. 이 모든 것에 대처하기 위해서는 경험을 필요로 한다. 젊은 사람들은 여기에서 한계가 있다. 남성들 또한 그러하다.

두 번째 요구는 현대사회에서 묘사하기가 훨씬 더 어렵다. 그것은 하나의 역할로 묘사할 수 없다. 그것은 하나의 프로필이다. 그리고 그것은 지식과 관련이 있다. 하지만 통상적인 학문적 배경 안에서 발견되는, 그 문제에 대한 철학자나 과학자의 프로필과 같지는 않다. 그것은 이용 가능한 대부분의 시간과 에너지를 학문적인 문제들에 집중할 수 있는 사람의 프로필이 아니다. 반대로, 마을에서 권력은 가사와 일에서 [제기되는] 일상의 구체적인 요구와 마을 안에서 중요해 보이는 문학과 예술의 유형으로부터 일생 동안 지식을 추구할 때의 예외적인 에너지를 결합하는 그러한 사람들 안에서 발견할 수 있다. 한 마을의 어떤 사람은 학자로서의 모습과 관심을 지녔지만, 양파를 수확할 때는 그 모습을 벗어 버리는 경향이 있었다. 그는 처음에는 높게 평가받았지만, 그러고 나서는 움츠러들었고, 지식인으로 전문화할 수 있는 역할을 위해 마을을 떠났다. 마을에 있는 다른 사람들은, 집이나 작업장 안에서, 실제적인 과제들을 정말 잘 처리할 수 있다. 그들은 이 영역들 안에서 많은 자율성을 갖는다. 그들은 상당한 반대에도 전화기를 설치하거나 아름다운 외양간이나 공장을 세울 수 있다. 그들은 분명히 권력을 지닌다. 하지만 만약 그들이 특별히 문화생활에 관심이 없다면, 그들은 전반적인 지도력을 획득할 가능성을 제한받을 것이다.

최근에 노르웨이 마을들에서 가장 영향력 있는 사람은 세 개의 주요 무대에서 더 일찍, 더 성공적인 성과를 결합한 한 사람이다. 특히 그녀의 생활은 지적 해답을 찾는 긴 여정이었다. 그녀는 마을에서 가장 중요한 것으로 간주되는 문헌, 특히 루돌프 슈타이너의 글에 대해 깊이 있는 지식을 지닌 평생 학생 lifelong student이다. 그녀는 또한 카리스마가 있는 학생이다. 웅변 능력으로 청중을 현혹시킬 수 있는 사람이라는 잘못 이해된 의미에서가 아니다. 그녀는 대부분의 사람들이 거의 접근하기 힘든 어휘를 가지고 — 종종 다소 건조하지만 — 그렇게 할 수 있다. 그녀의 카리스마는 메시지를 드러내는, 즉 어떤 종류의 결정들이 예전 스승에게서 물려받은 일반적인 생각들에 따라 잘 받아들여질 수 있을지를 이야기하는 문학적 의미에서 더 풍부하다. 그녀는 괴테, 쾨니히, 슈타이너가, 또는 그녀 자신을 포함하는 그들에 대한 해설자들 가운데 한 명이 무엇을 생각했을지 묻고, 그것에 집착한다. 사회사업부[복지부]Ministry of Social Affairs가 생각하는 것은 사고에 영향을 미칠지 모르지만, 반드시 결정적인 말은 아닐 것이다. 그녀가 일반적인 사상의 세계에 머물면, 마을 밖의 당국과 마주할 때, 많은 방식에서 비타협적이게 된다. 친절하지만 감상적이지는 않다. 타협하지 않고, 항상 진정으로 급진적인 대안들을 시도하려고 한다. 불교 철학을 배경으로 세워진 마을을 보길 좋아하는 신자이다. 믿음으로 가득 찬 회의론자이다. 그런 인물이 우리 나라의 마을 운동에서 가장 많은 권력을 지니고 있는 사람이다.

이 권력 유형은 내재적 한계를 가지고 있다. 다시 말해, 이것은 모든 참여자가 모든 주요 과제에서 활동해야 한다는 마을의 요구 때문에 그러하다. 이 요구는 온갖 종류의 도전에 노출되지 않은 지도자들의 성장을 방해한다. 어떤 신념 체계들은 특이한 지도자들을 양성한다. 미국에서 카리브 해까지 자기 신도들을 사로잡고 그곳에서 그들 모두에게 집단 자살을 독려하는 광신도들이 있다. 또는 자신들의 추종자들을 경제적으로 또는 성적으로 학대하는 지도자들이 있다. 또는 모든 것을 정치적 극단주의 분파 탓으로 돌리는 지도자들이 있다. 하지만 그런 유형의 지도자들은 거리, 즉 자신들의 추종자들과의 거리, 일상생활의 사소한 문제들과의 거리를 필요로 한다. 또한 냅킨을 바꾸는 일에서도 총명함을 입증하고, 미친 사람들을 존경으로 대하고, 채소를 뽑고, 연극에서 마리아나 도둑을 연기하라는 요구에 직면할 때, 그들은 바로 그렇게 할 수가 없다. 마을에서 등장하는 지도자들은 아주 친밀해서 일상생활의 규범 전체를 활성화한다. 만약 돌봄과 부드러운 배려라는 규범들을 잊었다면, 그들은 지도부 위치에 있지 못할 것이다. 그 규범들을 잊지 않고 밀접한 관계를 유지한다면, 지도부에 있을 기회도 많을 것이다.

모든 참여자는 모든 과제를 다루어야 한다. 하지만 이 제한과 함께 다른 제한들이 뒤따른다. 특히 이것은 단결할 수 있는 마을의 전체 체계의 규모에 제한을 가한다. 냅킨 교환은 시간이 걸린다. 큰 체계를 운영하는 것 또한 시간이 걸린다. 일상의 과제에 묶이는 것은 다른 과제들을 다루는 데 사용되는 시간에 제한이 가해진다는 것을 의미한다. 규모가 확대되면 그 체계는 분해될 것이며, 이것은 아주 좋을 것이다. 만약 마을들의 네트워크가 일관성 있는 하나의 리더십 체계 아래에서 크게 성장했다면, 사태는 다른 방식으로 조직되었을 것이다. 권력이 공식화될 것이고, 관료제가 창조될 것이며, 분명한 명령 노선과 위계 구조들이 확립될 것이다. 현재 마을 생활에 뿌리내린 보상은 없어질 것이다. 일은 노동이 될 것이다. 결정들은 아득히 멀리서 이루어질 것이다. 보상을 위한 요구들이 제기될 것이고, 차별화된 급여가 재도입될 것이다. 마을은 시설로 변할 것이며, 모든 것을 잃게 될 것이다.

8.2 보상

일의 영역에서 우리가 아는 모든 공식 조직은 확립된 수많은 보상 체계를 가지고 있다. 급여에서, 직함에서, 사무실 공간에서, 일을 수행할 때 제공되는 장비에서 차이를 지닌 승진의 사다리가 있다. 사람들은 종종 점심 식사나 모임에서 지위에 따라 탁자 주위에 앉는다. 모든 게 준비되면, 가장 중요한 성원이 그의 중요한 시간을 허비하지 않도록 종종 마지막에 도착할 것이다. 모임이 끝나면, 그 — 거의 항상 한 명의 그 — 는 다른 누구보다도 먼저 떠난다. 권력을 사용할 권리는 종종 보상 체계의 일부로 보인다. 때때로 그것은 다른 보상들을 최소화할 수 있을 정도로 중요한 부분으로 보인다.

　마을에는 확립된 통상적인 보상들이 거의 없다. 승진은 없으며, 승진할 지위도 없다. 과제들에 대한 책임이 존재하지만, 어떤 과제도 다른 것보다 더 중요하게 여겨지지 않는다. 그리고 어느 누구도 더 중요한 사람이 되도록 허용되지 않는다. 만약 누구든 마을 안에서 어떤 특별한 과제를 너무 크게 강조하는 경향이 있으면, 그 사람은 종종 그 지역을 떠나 다른 과제로 옮겨 가도록 권장된다. 회계 체계는 어느 정도 집중화되었고, 컴퓨터에 재능이 있는 한 사람에 의해 완성되었다. 그는 부드럽게, 그리고 때로는 그리 부드럽지 않게, 대신 농장 작업장으로 갈 것을 권유받았다. 빵집은 꾸준히 생산량을 늘렸다. 빵집 일이 너무 잘 되고 있다는 평가가 있었다. 빵이 그렇게 많이 생산되는 것은 다른 가치들이 너무 적은 관심을 받는다는 것을 가리킨다. 생산을 줄이기 위해, 핵심 인원에게 문화생활 영역의 중요한 도전 과제들이 주어졌다.

공식적인 지위에 가장 가까이 갈 수 있는 사람은 아마도 조언하기 위해 다른 마을들로 옮겨 가는 경험 많은 마을 사람들 팀의 한 성원이었을 것이다. 이 책을 쓰고 있던 지난 주에 나는 그 팀이 해체됐다는 것을 알았다. 이것은 이사회 Representantskap의 중요성을 줄이려는 것이라고 느껴졌다. 이사회의 성원이 되는 것은 또한 신뢰의 증거이다. 하지만 이사회는 그 모임에 참석하는 데 관심 있는 모두를 초청함으로써 이것을 최소화하려고 한다. 모두에게 허용되는 것은 소수를 위한 보상으로 사용될 수 없다.

마을 생활은 옛날의 가족들과 현대 가족들을 결합한 특정한 형태의 가족 생활과 유사하다. 마을 생활은 공동의 유대를 지닌 많은 성원들을 포함한다는 점에서 옛날의 가족들을 닮았다. 모든 가구는 크고, 전체로서 마을은 확대된 친족이라는 훨씬 더 큰 단위로 보일 수 있다. 작은 축제는 개인 집에서 열리지만, 큰 축제는 마을에 사는 모두를 위한 것이다. 아이가 태어날 때, 그것은 모두의 관심에 속한다. 세례는 누구에게나 열린 축제로서 공공 행사이다. 결혼도 그렇고, 죽음도 그렇다. 마을에서 가족생활은 모두가 참여하는 열린 생활이다.

현대 가족과 비슷한 점은 권위 구조에 있다. 부계 가족이 (대개 모계 가족의 형태로) 몇몇 가구에서 존재하지만, 지위와 관련된 특권의 표시는 거의 보이지 않는다. 어떤 경우에는 하찮은 과제들을 똑같이 나눠 갖지 않는 엄마 또는 아빠의 모습도 관찰되지만, 보통 그들은 이 과제들에서 그들의 몫 이상을 맡는다. 집에서 권위를 내세우는 것도 어렵다. 대부분 새롭고 젊은 협력자들이 집에 나타날 것이다. 그들은 주변 사회에서 표준들을 가지고 올 것이다. 그들은 낡은 방식을 받아들이는 게 아니라, 불평하거나 떠난다. 마을에 그런 경우가 있었다. 많은 사람들에게는 또한 자기 자식들이 있다. 어떻게 노르웨이의 평범한 아동 문화와 청년 문화가 이 아이들에게 자신들의 특징을 부여해 왔는지는 놀라운 일이며, 감동적이다. 마을에는 텔레비전이 없고, 소비사회의 가치들이 매우 적고, 정신적 삶을 크게 강조한다. 하지만 마을의 아이들은 여느 아이들과 마찬가지다. 종종 시끄럽고, 반항적이고, 어떤 전통적인 권위의 모습도 단호히 거부하는 공동의 문화를 대변한다. 아이를 키우는 것은 부드러운 일이며, 청소년이 성인으로 성장하도록 돕는 것은 언제든지 부러질 수 있는 연약한 낚싯대로 강에서 연어를 낚는 것과 같다. 권위는 제한적으로 사용된다. 게다가 사실 집-부모들은 계속 시간이 부족하다. 그들에게도 그들의 일과 문화생활이 있다. 대부분의 가구에서 문제는 권위주의의 남용보다도 오히려 결정들과 필요한 일에 대해 책임을 지려는 시간과 의지의 부족이다.

따라서 마을에서 보상은 비교적 민주적인 유형의 평범한 가족들에게서 볼 수 있는 보상과 같다. 이것은 존경과 사랑 없이는 아무것도 없다는 것을 의미한다. 그리고 뭔가가 더 있을 것이라는 희망은 없다. 올해의 어머니를 위한 특별한 기념식도, 아버지·숙모·순종적인 아들에 대한 특별한 관심도 없다. 단지 평범한 표준들에 따라 이루어지는 평범한 생활[이 있을 뿐이다]. 공식적인 조직들과는 반대로 목표를 구체화하지도 않고, 어떻게 이 목표들을 달성해야 하는지에 대한 규칙들도 없다. 하지만 목표 달성을 구체화하지 않는다는 것은 목표 수행을 측정할 수 없다는 것을 의미한다. 승자가 있을 수 없다. "그녀는 좋은 엄마였다." 하지만 왜? 만약 아이들이 장례식 중에 생각을 정리해야 한다면, 그들은 이유와 방법에 대한 정확한 설명을 찾는 데 어려움이 있을 것이다. 아마 일상적인 사건들의 일상적인 흐름, 무수한 만남들, 바라건대 그들 대다수에게 좋은 어떤 분위기였다. 조직들 안에서 사다리는 오르고 도달해야 할 목표들이다. 가족생활은 그 자체가 목적이다. 과정이 목표이다.

마을에서 모든 생활은 가족생활을 닮는다. 이것은 특별한 문제를 낳는다. 즉, 많은 과제로 인해 피곤해 하며, 자신들은 특별한 관심과 보상을 받을 가치가 있다고 생각하는 사람들과 무엇을 할 것인가? 지위가 상품이 아닌 곳에서 지위를 추구하는 사람[출세주의자]들과 무엇을 할 것인가?

다른 유형의 사회조직들 안에서는 두 가지 해결책이 사용된다. 즉, 그런 사람들은 어느 정도 명예로운 지위를 얻거나 그 조직을 떠나도록 강요받는다. 하지만 이들 해결책 가운데 어느 것도 마을 안에 적용하는 것은 쉽지 않다. 특히 추방하는 것이 쉽지 않다. 마을은 떠나기 쉽지 않은 곳이다. 떠나려고 생각하는 사람들과 떠나고 싶어 하는 사람들 모두에게, 평범한 사회는 변변찮은 음식으로 보일 정도로, 마을은 많은 매력을 지닌 독특한 세계이다. 그리고 마을에서 세월을 보낸 뒤에는 아무도 새로운 생활을 시작할 돈이 없다. 모든 욕구들은 돌보아지지만, 모든 잉여금은 마을에 재투자되었다. 또한 사람들이 [마을에] 오랫동안 있었다면, 그들을 밖으로 밀어내는 것은 가장 기본적인 규칙 가운데 하나를 위반하는 것처럼 느껴진다. 마을은 일생 동안 있을 곳이다. 마을에 있는 묘지가 우리에게 이것을 말해 준다.

명예직은 동등하게 나눌 수 없다. 공식적인 지배자들은 전혀 없다. 이것은 명예직의 의미를 줄인다. 그리고 나이가 들거나 특별히 좋은 행동을 하여도 특권이 늘어나는 것은 없다. 신체적인 나이에 따르는 부담은 마을 안에서 많이 볼 수 있는 다른 부담과 비교해 아주 적다. 따라서 나이는 제한된 관심사이다. 아무도 법적으로 연금을 받을 수 있는 나이에 관심을 갖지 않는다. 통상적인 급여 없이도 집중해야 하는 풍부한 과제가 있어, 사람들은 그야말로 그들이 더 이상 활동할 수 없을 때까지 이 과제들을 가지고 일한다. 이것은 마을 밖에서의 나이에 따른 결과와 비교하면 아주 좋지만, 만약 누군가 특권을 얻기 위한 기준으로 나이를 이용하기를 바란다면 좋지 않다.

단지 품위에만 만족하지 못하는 사람들은 따라서 문젯거리이고, 그들이 있는 마을도 그렇다. 이것은 그런 체계의 비용[손실]이다. 모든 과제의 중요성에서 전반적인 참여와 평등이라는 기본적인 요구를 파괴하지 않고는 명예직은 이용할 수도 없고, 있을 수도 없다.

마을은 수직 이동의 가능성을 제공하지 않지만, 수평 이동에는 열려 있다. 마을 사람들과 협력자들 모두 상당한 정도로 돌아다닌다. 그들은 마을 내부에서 또는 노르웨이에서 그리고 각국에 있는 마을들 사이에서 이동한다. 단지 소수의 사람들만이 3년 또는 4년 이상 같은 집에 남아 있다. 대부분 개인이나 커플이 움직이지만, 때론 가구의 대부분이 움직인다. 일하는 장소의 이동 또한 일어난다. 이 이동의 가능성은 일종의 안전판으로 기능하는 것 같다. 어떤 가구는 괴로울 수 있다. 어떤 사람은 견딜 수 없다고 느끼거나, 또는 다른 사람들이 그렇다고 느낄 수도 있다. 하지만 집이나 전체 마을은 새로운 구성원을 필요로 한다. 일하는 장소도 마찬가지다. 따라서 이동은 명확하지 않은 이점을 지닌다. 이동은 밀기의 결과일 수도 있지만, 당김의 결과일 수도 있다. 이동은 떠나야 할 동기를 강하게 느낀 필요의 결과이거나, 그 동기를 제거하기 위해 오래된 가구를 필요로 하는 또는 단지 그녀나 그를 얻기 위해 새로운 가구를 필요로 하는 것의 결과일 것이다. 하나의 계획 틀 안에서 짜증스러운 것이 다른 계획 틀 안에서는 자원임을 증명할 수도 있을 것이다. 극히 시끄럽고 외향적인 사람은 비슷한 사람들 사이에서는 문제일 수 있지만, 아주 유순한 가구에서는 축복일 것이다. 그리고 여기에서 모든 마을뿐만 아니라 모든 가족이 같은 기본 유형에 따라 조직된다는 사실에 이점이 있다. 이동은 새로운 사람들과 새로운 사회 장치를 의미하지만, 새로운 형태와 새로운 리듬을 의미하지는 않는다. 많은 마을 사람이 해외로 간다. 그들은 여러 날 또는 여러 해 동안 외국 마을을 방문한다. 종종 그들은 언어를 말하지 않으며, 당국에 의해 지적장애인으로 분류된다. 하지만 그들은 자신들이 도착하는 마을의 리듬과 체계에 익숙하다. 도착 이후 며칠 안에 그들은 새로운 체계 속에서 움직인다.

탈출[도피]이나 보상 같은 다른 길이 마을에 사는 사람들에게 열려 있다. 그 길은, 명상에 잠겨 또는 지적으로, 내부의 깊은 곳으로 이어진다. 마을은 숙고의 장소이다. 식사 전과 모임 전의 짧은 침묵의 순간들은 계속해서 그 과정을 바로잡도록 참가자들을 돕는다. 마을 생활은 풍부한 과제들을 지닌, 모든 일을 제때에 끝내기 위해 싸우는, 혼란 속의 생활이다. 그렇더라도 마을 생활은 동시에 정신적 기분 전환을 향해 움직일 여지를 주는 평온한 특질들을 지니고 있다.

8.3 사회 통제

지난 여름, 『예루살렘 포스트』지(1988년 8월 26일)에 심각한 곤경에 처한 편집자의 뉴스가 실렸다. 그 신문은 정통파 유대교도들을 주독자층으로 했다. 그가 쓴 기사 가운데 하나는 유대교도들이 받아들일 수 없는 것이었다. 그는 재판에 회부됐다. 다음이 문제가 된 문장이다.

신을 두려워하는[경건하게 살아가는] 거주자들은 토라 뷔라 신학교 교장이자 호전적인 반-시오니스트 단체, 네튜라이 카르타Neturai Karta의 지도자인 랍비 하임 카체넬렌보겐Haim Katzenellenbogen 주위에서 최소한 4큐빗 — 2.4미터 — 바깥에 머물라는 명령을 경고로 받았다. 그는 미니안minyan[기도사] 순위에서 10번째 안에 들지 않는다. 그는 생계에 필요한 것 이상의 소득을 얻도록 도움을 받을 수 없다. 그에게 "샬롬shalom"[평화]을 바라는 것은 금지되어 있다.

공식화 되면 잔혹하다. 물론 이것은 우리 모두가 때때로 일상에서 하는 것이다. 우리는 받아들이면 가깝게 다가가고, 거부하면 멀어진다. 통제는 반전counter-roll을 의미한다. 긴밀하게 짜여 있는 체계에서 거부를 상징하는 무수히 많은 방식이 있다. 이 방식들은 마을 안에서도 사용되고 있다. 그리고 그 방식들은 평범한 사회에서보다 마을 안에서 더 강력하다. 대부분의 사람들은 항상 자신이 중요하다고 생각하기 때문에, 거리가 느껴진다. 더 이상 만나지 않게 되는 만남들을 피할 수 없다. 소극적인 비공식적 제재의 경험을 피하는 일이 마을에서 그리 간단하지 않다.

게다가 4개의 다른 메커니즘이 마을 안에서 작동한다. 마을 모임, 성 니콜라스 축일, 집 또는 마을을 변화시키는 것, 그리고 마지막으로 마을 사회로부터의 추방.

마을 모임은 종종 비판을 하는 데 이용된다. 가구들로부터 퇴비 재료를 수거하는 마을 사람들은 쓰레기통에서 병, 깡통, 플라스틱을 찾는 일이 지겨울 수 있다. 그들은 마을 모임에서 위험한 결과들을 강조하기 위해 촌극을 연기한다. 특정 개인들에게 비판을 가하는 일도 일어난다. "누군가 내 등 뒤에서 나에 대해 거짓말을 한다"라고 페테르가 말한다. 에바는 그 말을 한 것은 자신이 아니었다고 화내며 대답하지만, 페테르는 정시에 일하러 와야 했다고 덧붙인다. 싸움은 계속되고, 마을 사람들은 관심을 갖고 듣는다. 또 다른 불평은 작은 길에서 오토바이를 타는 것이다. 아무 이름도 언급되지 않는다. 마을에는 오토바이가 단 한 대뿐이기 때문에, 이름을 언급할 필요가 없다.

성 니콜라스 축일은 최대한도로 이용된다. 12월 6일이 축일이다. 마을에 따라 이 날은 특별히 선물을 받을 만한 사람들에게 선물을 나눠 주는 날이기도 하다. 나는 마을에서 살던 가을에 천사의 날개 한 쌍을 선물 받았다. 짧은 연설에서 성 니콜라스는 나에게 "넌 괜찮아, 하지만 주의를 조금 더 천국을 향해 돌려"라고 말했다. 엘렌은 아름다운 드레스를 받았다. 그녀는 다른 사람들의 필수품에 많은 관심을 쏟는 경향이 있고, 그녀 자신의 외모는 잊는다. 다른 사람들은 단지 친절의 표시로서 선물을 받는다. 전체 마을이 참여한다. 많은 것이 그날 저녁 선물을 통해 이야기된다.

추방은 최후 조치이다. 노르웨이 마을들의 역사에서 추방은 극히 드문 사건이다. 통상적인 절차는 사람들이 처음에 마을로 시험 방문을 하러 오는 것이다. 하지만 그 기간이 지나고 마을에 머물게 되면, 기본적으로 그들은 영원히 머물 수 있다. 몇 가지 사례에서, 국가 당국은 누군가에게 마을로 갈 것을 강요해 왔다. 폐쇄 병동에서 그리고 유난히 많고 시끄러운 행동 문제로 인해 온 사람들이 있었다. 마을들은 감당할 수 없었다. 또한 감옥에서 바로 온 Z의 경우도 있었다. 격동의 시간이 흐른 뒤 아이들에 대한 그의 행동이 너무 지나쳐서 그는 감옥으로 다시 보내졌다(40-44쪽을 보라). 일례로, 한 쌍의 협력자들은 공식적으로 떠나도록 요청받았지만, 그들 가운데 한 명은 평범한 사회에서의 임금에 맞춘 급여를 받으며 마을에서 일을 계속했다. 여러 명의 젊은 협력자들은 마을 또는 마을의 특정 개인에게 질려, 떠나도록 권고를 받았거나 자발적으로 떠났다. 갈등은 특히 전문화와 관련하여 나타나는 경향이 있다. 자신이 전문으로 하고 있는 바로 그 과제[임무]보다 훨씬 더 중요한 어떤 것이 있을 수 있다는 것을 받아들이기는 어렵다.

마을의 방문자들은 종종 평온함을 보여 주는 마을의 친절한 분위기에 감동 받는다. 어느 정도 그 인상은 맞다. 하지만 이것은 마을 생활이 평화롭기만 하다는 것을 의미하지 않는다. 아주 가까이 살면, 당사자들은 서로에게 아주 중요하게 된다. 감정이 고조되고, 사랑과 증오 모두 고조된다. 더 자주 감정의 폭발로 끝나지 않는 것이 놀랍다. 그것의 일부분은 아마 마을 생활의 리듬으로 설명할 수 있을 것이다. 갈등[분쟁]이 증폭되고 분노가 생겨나면, 평범한 생활에서는 감정의 폭발이 뒤따를 것이다. 마을들에서는 더 많은 일이 일어난다. 당사자들은 모든 종류의 과제와 마주한다. 만약 갈등이 집 안에 있다면, 연관된 사람들은 또한 성경 저녁에 만날 것이다. 한 마을 사람이 말하듯, 성경 저녁은 일종의 청소하는 과정이고 아주 중요한 일이다. 화제를 둘러싼 모임이 커지면서 갈등의 중요성은 줄어든다. 갈등은 결코 화제가 될 필요가 없지만, 저녁이 끝날 때에는 뒤에 남는다. 다음 날 갈등하는 당사자들은 아마 공동 예배에서 만날 것이다. 일요일 저녁에는 거의 항상 음악회나 강의들이 있다. 조용한 순간들, [이를테면] 예술과 지적인 도전들은 누군가에겐 대인 관계를 활성화하는 데 조금은 어색하게 느껴지는 상황들을 만들어 낸다.

이 장은 권력에 대한 탐구였다. 하지만 허사가 되었다. 왕이나 여왕도 없고, 대통령도 없으며, 이름을 내세울 만한 책임자도 없고, 결정을 내리는 이사회도, 선거도 없다. 전문화에 관한 내재적인 제한들이 있다. 즉, 단지 집과 일터에서의 생활과 문화 생활에서의 자질들을 결합하는 사람들만 어떤 영향력을 지닌다. 누군가는 다른 사람들보다 더 많은 영향력을 지니지만, 그 영향력에 반대하고 그것을 잘 처리해 내는 것이 가능하다.

이것은 어떤 종류의 체계인가?

결정들이 이루어진다. 농장들은 구입되고, 집들은 세워지고, 사람들은 [들어오도록] 허용되고, 어떤 사람들은 추방된다. 권력은 행사되지만, 그 권력은 어디에 있는가?

다시 우리는 사회와 국가 사이, 주거 공동체들과 정해진 범주들 사이, 어둠과 명확성 사이의 구별로 되돌아가야 한다. 이 마을들은 국가-범주화의 헤게모니에 대항하는 작은 둥지들로 보일 수 있다. 이 마을들은 신념 체계에 대해서 뿐만 아니라 사람들에 대한 통상적인 [분류]범주들을 피한다.

하지만 이 통찰력에 의해 우리는 실제로 전진해 왔다. 우리는 말할 수 있다. 즉, 마을에서 그리고 마을들 사이에서 권력은 비공식적인 구조를 지닌, 상대적으로 열린 체계들 안에서 발견되는 유형에 속한다. 소유에 관한 계약들이 존재한다. 그것은 모두 마을 트러스트에 의해 소유된다.

그리고 그곳에 사는 사람들을 위해 당국이 지불한 기금에 대한 국가 또는 지방자치단체들과의 계약이 있다. 하지만 특별히 보살핌이 필요하다고 판단되지 않는 사람들에 관해서는, 문서가 전혀 없다. 그들은 단지 오고, 머물고, 또는 궁극적으로는 다시 떠난다. 지금까지, 그들은 서류상 권리도 없고, 계약도 없으며, 만약 그들이 떠나면 가져갈 수 있는 보장된 돈도 없다. 그들의 개인적인 권력은 마을에서 그들의 가치, 거기 사는 사람들 사이에서 공유되는 예절과 정당성의 기준들에 근거한다.

보장도 명확성도 없는, 계약을 넘어선 삶이다. 이것은 불가능한 것처럼 들린다. 하지만 우리는 이것이 대부분의 사람들이 살아온 삶이라는 것을 기억한다. 언제나.

9. 희귀종

숲속을 천천히 걸으면서, 우리는 신비로운 것들과 마주친다. 방금 내린 눈이 있는, 겨울일 것이다. 하얀 눈이 모든 소리를 감싼다. 하지만 완전히는 아니다. 조용한 숲은 결코 완전하게 침묵하지 않는다. 몇 마리의 겨울새가 지저귀고, 눈의 무게는 나무들을 한숨짓게 한다. 그리고 곳곳에 거주자들의 발자국이 있다. 여기에서 토끼들이 뛰어다니며, 위험스럽게도 여우의 자국이 있는 곳 가까이로 다가온다. 무거운 꼬리는 눈 위를 부드럽게 쓸고 간다. 그리고 여기 이 엄청난 눈 속에서 엘크가 잤다는 게 가능한가, 이렇게 도시와 가까운 이곳에서?

   사는 것은 표시[흔적]sign들을 해석하는 것, 그것들에 의미를 부여하는 것이다. 식물, 동물, 인간, 함께하는 많은 인간들, 이것은 어떤 종류의 현상인가? 이해하기 위해 우리는 비교한다. 발자국들을 다른 발자국들과, 사회 체계들을 다른 사회 체계들과.

9.1 빌라

마을의 초창기에 모임은 보건부 안에서 열렸다. 항상 마을을 옹호하던 친절한 담당 의사는 치료 계획을 논의하길 원했다. 그는 마을 사람들을 어떻게 사회로 되돌려보낼지, 그들의 사회 복귀라는 문제를 제기했다. 그리고 그는 비다로슨과 가까운 시내에 빌라를 구입하는 것에 대해 강력하게 찬성했다. 여기에서 비교적 문제가 없는 몇 명의 마을 사람이 가장 경험이 많은 집-부모 몇 명과 함께 살도록 했다. 그것은 사회로 돌아가는 첫 단계로 보였다.

빌라는 즉각적인 성공을 증명하였다. 거기로 옮긴 모든 사람이 시내에서 고용됐다. 그들은 돈을 벌었고, 현대 산업의 도전에 대처할 수 있었다. 그들의 노동은 마을에서 전설이 되었다.

그들의 저녁과 밤의 생활에 대해서는 그리 진지하게 논평할 것은 없었다. 일을 마치면 그들은 빌라로 돌아갔다. 여기에서 집 부모들, 엘리트 협력자들은 그들을 따뜻하게 맞아들였다. 엘리트, 하지만 매일 같은 사람들이었다. 그리고 대여섯 명의 다른 마을 사람이었다. 제한된 같은 그룹의 사람들, 그리고 그런 제한된 그룹이 시작할 수 있는 제한된 프로그램.

그런데 그들은 시내에 있었고, 반쯤은 마을 생활을 떠났고, 반쯤은 평범한 사람들과의 평범한 생활을 열망하며 평범한 도시 생활을 하는 평범한 사람들이 되고 있었다. 몇몇 이웃이 커피를 대접하기 위해 그들을 초대했다. 하지만 그들은 늙은 사람들이었고, 마을 사람들이 어리다고 느꼈다. 마을 사람들은 동등한 사람들, 평범한 친구들, 정확히 평범한 것들을 찾았다.

그들은 다른 평범한 사람들이 또한 찾고 있는 장소를 찾았다. 기찻길 카페, 몇몇 스낵바, 24시간 매점, 항구를 찾아다녔다. 공공장소들, 대부분의 사람들을 위한 통행 장소들, 네트워크에 한계가 있는 사람들을 위한 희망의 장소들. 카페는 일정한 소비를 하지 않고는 자주 갈 수 없었다. 맥주는 쉽게 마실 수 있었다. 이전 마을 사람들 가운데 여러 명은 혼란 상태에 빠졌다. 몇 명은 여전히 그곳에 있다.

왜 그것은 잘못 됐을까?

시간을 두고 바라보면, 두 가지 주요한 이유를 찾을 수 있다. 첫째, 빌라는 마을이 아니었다. 둘째, 현대적인 도시에는 예외적인 사람들을 위한 자연스런 공간이 없다.

9.2 마을은 시설인가?

친절한 의사는 실험에 열려 있고 많은 인간적인 접촉이 있는 비다로슨을 탁월한 시설로서 좋아했다. 하지만 그에게 그것은 여전히 시설이었다. 실제 생활이 아니었다. 따라서 만약 사람들이 마을 밖으로 나가 실제 생활을 하게 된다면, 그것은 당연히 어떤 개선일 것이다.

마을에 가까운 사람들은 또 다른 관점을 지닌다. 그들은 마을을 실제 생활로, 아마도 평범하지 않은 실제 생활로 본다. 그들은 시설에서의 생활이 종종 덜 만족스러운 측면을 지닐 것이라고 동의하지만, 마을은 시설과는 아주 다르다고 주장한다. 그들이 옳은가?

대부분의 시설에는 4가지 전형적인 특성이 있다.

첫째, 대부분의 시간이 제한된 지리적 영역 안에서 소비된다. 일, 여가, 잠 등, 모든 것이 같은 건물 안에서 그리고 항상 주위에 같은 사람들이 있는 데서 일어난다. 이것은 시설에서 전형적이다. 그리고 그것은 마을에도 맞다. 여기에서는 밤과 낮의 공동생활이 있다. 그것은 대부분의 성원들이 일과 여가를 위해 집과 이웃을 떠나며, 다른 부류의 사람들에 대해서는 잘 모르는 여러 입장의 사람들과 종종 관련을 맺는 평범한 생활에서 평범한 가족 구성원들이 하는 생활과 상당히 대비되는 생활이다. 이런 이유에서 마을은 시설과 유사하다.

시설의 두 번째 특성은 직원과 비-직원 사이의 엄격한 구분이다. 중요한 직원들은 전문가임을 주장한다. 그들은 종종 특별한 교육을 받는다. 의사와 간호사, 즉 백의의 군대[무리]가 있다. 또는 사람들을 가두는, 열쇠를 가진 군대가 있다. 또는 나이라는 권력을 지닌 사람들이 있다. 즉, 기숙학교에는 노인들이, 노인들의 집에는 젊은 사람들이 있다. 개인 사무실, 직원 모임, 특별 구내식당이나 공동 구내식당에 있는 별도의 식탁에 접근할 수 있는 사람들이 있다. 흔히 이 모든 직원은 모든 비-직원에 대해 권위를 가지고 있다.

그것은 시설에서는 기본이지만, 마을에서는 그렇지 않다. 우리가 보았듯이, 마을 생활의 다양한 모습, 즉 직원 모임에 대한 기능적 대안으로서 큰 길 및 작은 길 체계, 모든 과제의 공유, 존엄한 영혼에 대한 믿음은 우리와 그들 사이의 차이를 최소화한다. 그리고 무엇보다도, [시설에서는] 경비 요원들과 간호사들은 집으로 간다. 그들은 제한된 지리적 영역을 벗어난다. 당연한 일로서, 그들은 시설 밖의 삶, 즉 집, 가족, 여가 또한 가지고 있다. 시설에서 그들의 시간은 돈을 위한 노동이다. 반면, 마을에서는 그들은 모두 마을에 남아 있고, 일부는 영원히 남아 있다. 가깝게 사는 것, 함께 행동하는 것, 함께 일하는 것, 서로 가까이서 휴식을 취하는 것. 그것은 총체totality이지만, 총체적total 시설이 아닌 총체적 공동체이다. 역설적인 방식으로, 마을은 고프먼(1961)이 묘사한 대부분의 총체적 시설들보다 더 총체적이다. 오히려, 마을은 병원보다 배와 더 닮았다.

시설의 세 번째 특성은 그곳에서의 생활이 종합 계획에 따라 진행된다는 것이다. 그것은 공통된 특정 목적을 지닌 생활이다. 감옥과 병원은 전형적인 예이지만, 또한 아이들, 기숙학교 학생들, 노인들 또는 다양한 범주의 장애인들을 위한 특수한 수용 시설들이 있다. 여기에서는 처벌, 치료, 교육 또는 보살핌이 주요한 목적이 된다.

마을이 처벌을 목적으로 하지 않는다는 것은 말할 필요도 없다. 어떤 형태로든 마을은 구금이나 격리를 위한 장소는 아니다. 만약 사람들이 떠나길 바라면, 아무도 그것을 막지 않는다. 사람들은 마을에 와서 처음 몇 주 동안 머문다. 만약 그들이 마을을 좋아하고 마을이 그들을 받아들이면, 그들은 계속 머물 수 있다. 치료라는 문제는 더 복잡하다. 치료의 또 다른 말은 치유healing이다. 이것은 사람을 다시 온전하게 만드는 것을 의미한다. 그런 의미에서 마을은 치유를 위한 장소이다. 하지만 이 치유는 일시적인 활동이 아니다. 지속적이고 장기적인 과정이다. 그리고 치유는 당국이 결함이 있다고 간주하는 사람들뿐만 아니라, 그곳에 사는 모든 사람을 위한 것이다. 마을 사람들은 자신들의 마을을 일시적으로 머무는 장소가 아니라 생활을 위한 장소로 여긴다. 치료의 관습적인 의미에서 말한다면, 마을은 분명 그런 활동을 위한 장소는 아니다. 다운증후군이 있는 사람들을 위한 치료는 없다. 임신 초기 검사와 낙태를 통해 우리는 그런 사람들의 존재 자체를 예방할 수 있다. 우리는 성형수술을 통해 다운증후군 환자들을 어느 정도까지 평범한 사람들처럼 보이게 만들 수 있다. 마을 사람들은 그 두 가지 '해결책'에 반대한다. 대신 그들은 평범하지 않은 사람들을 위해 그들이 살기에 좋은 공동 형식들을 창조하길 원한다. 치료는 사람들이 아플 때 마을에서 진행된다. 하지만 장애[다름] 그 자체에 대한 치료는 없다.

비다로슨과 다른 마을들에서는 또한 교육을 받을 수 있다. 어떤 사람들은 읽고 쓰는 것을 배우고, 또는 뜨개질을 배우고, 또는 플루트 연주나 리듬체조를 배운다. 대부분의 사람들은 매주 여러 번 강의나 음악을 듣는다. 하지만 그것은 모든 사람의 생활의 일부분이다. 교육은 결코 거기에 머무는 특정한 목적이 아니다.

그리고 보살핌은 어떤가? 대답은 같을 것이다. 마을은 보살핌으로 가득 차 있다. 그리고 이것은 모두와 관련돼 있다. 삶의 일부분으로서 보살핌이 있다. 하지만 보살핌이 목적은 아니다. 목적은 생활[삶]이다. 하지만 이 점을 구분하는 것은 더 어렵다. 특히, 노인들과 영구적인 장애를 가진 사람들을 위한 시설은 반드시 일시적인 장치는 아니라는 점에서 마을과 유사하다.

다음으로 마지막 요점: 시설은 같은 부류의 많은 사람들을 수용하고 있다. 죄수들, 환자들, 학생들, 노인들, 장애인들.

그것은 이 마을에서도 사실인가?

대답은 누구의 관점이 적용되느냐에 달려 있다. 관습적인 관점에서, 일반적으로 마을 밖의 통상적인 사회에서보다 제한된 마을 공간 안에서 더 많은 특수 부류의 사람들이 발견된다. 장애인 연금을 받는 사람들이 많이 있고, 재정적인 후원을 받는 사람들도 많이 있다. 따라서 이런 관점에서 마을은 대부분의 시설과 비슷하다. 마을에는 — 시설처럼 — 제한된 공간 안에 모인 같은 부류의 사람들이 비교적 많다.

하지만 마을의 관점에서 보면, 문제는 꽤 다르게 된다. 마을 사람들은 성격character, 유형type, 인성personality을 지닌 사람들이다. 그들은 다수자와 다르기 때문에 서로 비슷하지만, 동시에 개별적으로는 서로 다르다. 시설은 종종 차이를 지운다. 때때로 숫자가 이름을 대신하고, 유니폼이나 국가가 지급하는 옷이 모두를 비슷하게 만들며, 그리고 강제적인 이발과 개인 소지품을 박탈하는 공간이나 감옥도 그러하다. 이와 대조적으로, 마을 생활은 인성을 강조하고, 어느 정도까지는 별난 행동도 강조한다. 따라서 그런 관점에서 상황은 반대이다. 외부 사회에서는 모두가 같은 부류에 속하며, 산업사회의 기본적인 요구와 생산물의 소비 욕구에 순응하는 창백한 복사품들이다. 마을은 개인들 사이에서 차이가 발전하는 것을 인정하는, 개인성이 지배하는 체계이다.

이것을 요약해 보자. 이 마을은 생활의 모든 양상이 제한된 동일 영역 안에서 진행되도록 한다는 점에서 시설과 비슷하다. 국가의 관점에서 보면, 마을은 또한 같은 부류의 많은 사람을 같이 살게 한다는 점에서 시설과 비슷하다. (하지만 마을 사람들의 관점에서 보면 상황은 반대이다.) 마을은 이성적인 특정한 목적에 따라 조직되지 않고, 특히 나와 너, 우리와 그들 사이의 어떤 분리도 강조하지 않는다는 점에서 시설과 다르다.

9.3 마을 생활은 평범한 생활인가?

통계적인 의미에서는 아니다. 우리가 산업화된 사회들을 평범한 것의 예로 사용한다면 아니다.

마을 사람들은 서로를 — 거의 모두 그들의 이름first name으로 — 안다. 그리고 [성이 아니라] 이름이 사용된다. 사람들은 지속적으로 만난다. 그들은 서로에게 중요하다. 그들은 서로 미워하고, 서로 사랑하며, 그 둘 다를 알리려고 한다. 그들은 돕고 상처 주고 보살펴 준다. 마을은 생생하게 살아 있다. 마을은 전형적으로 단단히 짜여 있는 공동체이다.

마을에서 나와 평범한 도시 생활로 돌아갈 때 대비가 두드러진다. 도시는 크고 전문화에 기초해 있다. 이것은 불평등과 차별을 위한 조건들을 창조한다. 또한 이 거대한 유형의 체계 안에서는 상호 의존이 존재하지만, 쉽게 교체할 수 있는 사람들이 수행하는 역할들 사이에서다. 기술적·사회적 도구들의 복잡한 체계가 기능하지만, 그것은 한 사람에게 의존하지 않는다. 역할들은 채워져야 하지만, 수행자들은 교체 가능하다. 또한 큰 범주들을 비슷하고 교체 가능하게 만드는 것은 부드럽게 기능하도록 하기 위해서다. 하지만 동시에 이 체계는 서로 낯선 사람들로 쉽게 구성될 것이다. 대부분의 사람들은 어떤 종류의 네트워크로 연결돼 있다. 그럼에도, 우리와 물리적으로 가까운 사람들 다수는 우리가 모르는 사람들이다.

이방인[모르는 사람]들은 항상 사냥 구역 주변부에서, 마을 밖에서, 소도시 밖에서, 공포와 불안을 만들면서 존재해 왔다. 도시의 성장과 함께 완전히 새로운 상황이 대부분의 사람들에게 일어났다. 현대 도시의 트레이드마크는 친밀한 이방인이다. 모르는 사람들이 가까이 오고, 같은 건물에 들어가지만, 거리를 두고 지내고 있다.

　이런 사회 유형과 비교할 때, 마을은 다르다. 마을은 단단히 짜여 있다. 마을 사람들은 모두에게 열린 역할들로서뿐만 아니라, 사람[개인]들로서 서로 의존한다. 오히려, 마을은 어떤 현대적인 거주 형태보다 중세의 작은 도시에 더 가깝다. 하지만 이것조차 딱 들어맞는 것은 아니다. 밖에서 — 특히 국가의 관점에서 — 보면, 이 마을들은 평범한 사회생활에 대처할 수 없는 상당히 많은 사람들을 포함하고 있다. 마을에는 연금을 받을 권리가 있는 상당히 많은 사람들, 또는 어떤 종류의 평범하지 않은 도움이 필요한 사람들이 있다. 여기에서 마을은 또한 중세 도시의 원형과는 다르다. 낡은 유형의 도시들은 훨씬 더 고른 주민 분포 — 모든 부류 가운데 일부 — 를 지니고 있었다. 어떤 한 부류의 집중은 일부 도시의 일부 구역에서 발견될 뿐이었다. 그런 구역은 종종 게토라고 불렀다.

9.4 게토로서 마을

한 가지 역사 해석에 따르면, 게토라는 단어는 보호 또는 추방을 위한 성城인 이탈리아어 **부르게토***bourghetto* — 작은 성 — 에서 유래한다. 예전의 감옥은 성에서 출현하였다. 몇몇 공간은 깊은 지하에 또는 타락한 공주에게는 외로운 관망대인 탑 위에 세워졌다. 게토 생활에는 두 가지 측면이 있다. 즉, 사람들은 자신들의 의지에 반하여 그곳으로 오거나 보호받기 위해 그곳에 모인다.

최근에 게토는 대부분 민족성ethnicity과 깊이 관련돼 있다. 뉴욕의 이탈리아인 공동체 또는 중국인 공동체, 베를린의 터키인 공동체, 스페인의 스칸디나비아 출신 연금 생활자들을 위한 거주지가 있다. 하지만 단어를 이렇게 쉽게 사용하는 이면에는 유럽의 부끄러움과 유대인의 죽음이라는 또 다른 이미지가 어슬렁거린다. 게토는 유대인들이 살도록 제한된 도시 구역이었다. 그곳은 그들의 유대교 회당, 학교와 배움의 중심지가 있는 곳이었다. 그들이 일하고 살았던 곳이었다. 그리고 그들이 되풀이하여, 최근처럼 옛날에도, 대학살의 희생자가 되었던 곳이었다. 게토 안에서 살해당하거나 게토에서 가스실로 강제 추방되었다. 그 개념으로부터 꼭 좋은 울림[느낌]만이 있는 것은 아니다.

그럼에도 불구하고 우리는 그 단어를 부끄러워하고 멀리해서는 현실을 바꾸지 못한다. 마을을 게토와 비교하는 사람들이 있다. 마땅히 그래야 한다. 유사성이 있고, 우리는 조사해야 한다. 하지만 여기에서 딜레마가 생겨난다. 캠프힐 마을이 게토에 가깝지만, 게토가 모두에게 나쁜 느낌을 주는 것이 사실이라면, 우리는 즉각적으로 그 끔찍한 말에서 마을을 떼내려고 하지 않을까? 하지만 그것은 히틀러와 히믈러에게 세 가지 승리를 안겨 주는 것이다. 그때 절멸당한 것은 유대인들만이 아니었다. 불타 버린 것은 물리적 구조물들, 집들, 가게들, 유대교 회당들로 이루어진 게토들뿐만이 아니었다. 그것은 또한 중요한 사회생활의 형식이라는 생각을 나타내는 언어적인 상징으로서 게토들의 절멸을 의미한다. 국가사회주의자[나치]들 — 그리고 수세기에 걸친 그들의 전임자들 — 은 죽이고 불태울 수 있었다. 하지만 악마의 힘이 마을의 현실을 제압할 때마다 우리가 그 개념들을 잃는다면, 우리는 전투 이상의 것을 잃는다. 우리는 유산을 잃고, 과거의 관념 중에서 좋았던 것과의 연계를 잃고, 결국에는 이 종들을 보존할 방법을 배울 능력을 잃는다. 우리는 또한 이 형식들 속에서 사는 사람들의 기억을 더럽힐 것이다. 우리는 대신 게토라는 생각을 구해야 하고, 무엇이 게토의 본질인지 찾아내고, 게토가 현대사회에서도 중요한 가치와 삶을 위한 틀을 지니고 있는지 알아야 한다.

또한 게토들과 비교해서, 우리는 마을에서 기본적인 차이를 발견한다. 캠프힐 마을에 사는 사람들은 국가와 외부인들에게는 다른 마을 사람들과 비슷해 보이겠지만, 이것은 마을 사람들 자신의 인식이 아니다. 그들은 자신들 사이에서의 차이를 알고, 외부 사회에 있는 사람들과의 유사성을 안다. 마을 사람들에게 정체성을 주는 것은, 민족성 또는 신이 특별히 선호한다는 어떤 믿음에서 오는 자부심이 아니라, 사회 형식으로서 마을에 대한 자부심이다.

9.5 집합체로서 마을

약물[마약] 문제의 결과로, 약물 사용자들을 위한 집합체들이 발달했다. 그중에서 많은 집합체들이 마을과 다소 유사한 사회 형식을 지닌다. 약물 문제를 갖고 있는 사람들과 그들을 도와주는 사람들은 종종 기본적인 생활 조건을 공유한다. 그들은 같은 집에서 함께 살고, 함께 일하며, 같은 문화 활동에 참여한다. 하지만 또한 중요한 차이가 있다. 우리와 그들 사이에는 집합체로서 중요한 차이가 있다. 집합체에서의 생활[집단생활]은 계획된 생활이다. 생활은 치료 계획 또는 교육 계획에 따라 진행된다. 생활은 분명한 목적을 갖고 있다. 약물 문제를 갖고 있는 사람들은 그 문제에 대처할 수 있는 지점에 도달할 수 있다. 그리고 집합체에서의 생활은 끝난다. 목표는 집합체 밖에서 살 수 있는 것이다. 집합체에서의 생활은 또한 부단히 전진하는 생활로 여겨진다. 한 해, 두 해, 세 해 시간이 흐름에 따라 신뢰와 특권들, 새로 온 사람들에게 모델로 생각되는 [사회복지] 클라이언트들, 그리고 평범한 사회에서의 생활에 거의 접근한 사람들로 채워진다.

단지 소수의 사람만이 실제로 마지막 단계까지 머문다. 머무는 사람들 중의 일부, 그리고 더 일찍 도망가는 사람들 중의 일부는 때때로 그곳을 자신들이 돌아올 토대로 이용하면서, 계속 ─ 경우에 따라서는 영원히 ─ 머물기를 원했었다고 선언한다. 이것은 집합적 형식, 이상, 공동생활에 대한 갈망을 표현한다. 어떤 사람들은 계속 머물기 위해 직원으로 돌아오기도 한다.

마을의 관점에서 보면, 집합체의 주요 문제는 정확히 이런 몇몇 젊은이가 표현하는 것이다. 좋은 사회 체계에서의 생활은, 분명한 목적을 지니고 치료나 훈련을 위해서만 있을 때는, 어느 정도 비현실적이게 된다. 이상에 호소하고 따뜻한 사회관계를 동원하는 좋은 생활에서, 그곳에 사는 사람들은 전혀 집합적이지 않고 또 다른 수준에서의 감정적 온기를 지닌 사회생활 형식들로 밀려 들어간다. 마을의 관점에서, 집합체는 좋은 것이며, 결코 강요된 목표를 향해 움직일 수 없다는 것은 자연스러운 것 같다. 머물기를 원하는 사람들은 영원히 머물러야 한다.

사회로부터 또한 집합체의 많은 노동자들로부터 집합체는 불가능하다는 대답이 나올 수도 있을 것이다. 그렇게 된다면 전체가 숨 막힐 것이고, 새로운 약물 중독자들을 위한 빈 자리는 없을 것이다. 하지만 다시, 마을의 관점에서, 우리는 새로운 사람들이 새로운 집합체를 창조하도록 하라는 분명한 해결책을 제시할 것이다. 오래된 사람들은 아마도 느리지만 더 많은 돈을 벌 수 있어서 사회복지 체계로부터 지원을 약간 축소해 달라고 요구할 수 있을 것이다. 그러면 새로운 중독자들은 대대손손 새로운 집합적 체계로 들어갈 수 있을 것이다. 그렇게 되면 약물은 정말 한 나라의 사회구조를 형성하는 데 있어 강력한 요소가 될 것이다.

하지만 이번에는 특히 전문가 집단에서 불가능하다는 진술이 나올지 모른다. 만약 집합체가 치료를 목적으로 하지 않는다면, 치료자들과는 무엇을 할까? 전문적인 표준들, 담당 사건 건수들, 그리고 이 모든 것을 끝장낼 방법의 유용성과 지식은 어떤가? 만약 종합 기본 계획과 실용성 본위의 사유가 붕괴된다면, 그리고 분명한 목표가 붕괴된다면, 그리고 의뢰인들로서 역할이 붕괴된다면, 그렇다면 전문가의 역할도 붕괴될 것이다. 그렇다면 집합체에는 단지 평범한 생활 기준들만이 남을 것이다.

그런 일은 일어나지 않을 것이다. 하지만 만약 그런 일이 일어났다면, 현재의 집합체들은 오늘날의 캠프힐 마을에 가까운 사회 체계들이었을 것이다.

9.6 하나의 마을로서 마을

어떤 마을인지 이해하기 위해 이 연약한 종을 묘사하려는 ─
바라건대 배려와 관심을 가지고 ─ 시도가 이뤄졌다. 그러고
나서 마을을 다른 사회 장치들과 비교함으로써 훨씬 더 잘 이
해하려는 시도가 행해졌다. 총체적 시설은 그 장치들 가운데
하나가 되어 왔다. 우리는 어떤 중요한 유사점을 찾았지만, 또
한 기본적으로 차이점도 찾았다. 우리의 마을은 시설이 아니고
따라서 총체적 시설도 아니지만, 평범한 사회보다 더 총체적이
다. 우리 마을에 더 가까운 것은 게토와 집합체 들이지만, 여기
에도 역시 근본적인 차이들이 남아 있다.

그럼 마을은 무엇인가?

나는 그리스 시인 콘스탄틴 카바피스Konstantin Kavafis(1961)
가 이타카로 가는 길을 묘사한 시로 대답하고 싶은 유혹을 느
낀다.

> 너의 길이 긴 여정이기를 기도하라
> 이타카를 항상 기억하라
> 거기에 도착하는 것은 네게 운명지어진 것이다
> 하지만 결코 여행을 서두르지 마라
> 여러 해 동안 여행이 지속되면 더 좋다
> 그래서 네가 그 섬에 도달했을 때 노인이 되어 있다면

도중에 네가 얻은 모든 부로 너는 부유할 것이니

이타카가 너를 부유하게 만들 거라 기대하지 않는다면

이타카는 너에게 기막힌 여행을 선사할 것이다

이타카가 없으면 너는 출발하지 않을 것이다

이타카는 아무것도 줄 것이 없다

캠프힐 마을들은 모두 다른 사회 체계들의 형태에서 비롯된 어떤 것을 지니고 있지만, 또한 그 모든 것과 다르다. 캠프힐 마을들은 특유하다. 너무 특유해서 우리는 그것들에 대한 일반적인 개념도 없고, 대다수 사람들에게 그것들이 무엇인지 즉각 말해 줄 공통 단어도 없다.

같은 처지의 많은 사람들이 함께 하는, 생활과 이해 이상의 다른 목표가 없는 공동생활, 그런 생활을 위해 사용할 준비가 되고 즉각적으로 이해할 수 있는 개념들이 없다. 그래서 그것들을 단지 마을이라고 부르기로 하자.

마을은 노르웨이적인 유산의 일부분이 아니다. 땅은 주로 돌로 채워져 있고, 들판들 사이의 거리는 너무 멀어서, 집들은 서로 떨어져 정착해야 했다. 또한 중앙 유럽의 마을을 보면, 그 마을이 이 책에서 묘사된 마을과 같은 종에 속하는 것인지 의심할 수도 있다. 오래된 마을은 계급 차이와 내·외부의 통치자가 있을지라도 서로 비슷해진다. 하지만 그 마을은 또한 비다로슨과 다른 장소들 안에서 발견되는 것과 가까운, 문화생활과 유대의 특질들을 지니고 있다. 현대 생활은 사회조직의 중요한 형식으로서 마을을 없앴다. 평범하지 않은 사람들의 평범하지 않은 욕구들은 아마도 대부분의 사람들에게 좋은 사회 형식 모델을 재확립하는 데 도움을 줄 것이다. 아마도 평범하지 않은 [장애를 가진] 사람들은 도시의 일부분을 어떻게 다소 독립적인 마을의 집합체로 전환할 것인지에 대한 최소한의 지적 논쟁을 불러일으킬 도화선이 될 것이다.

10. 집으로 가는 먼 길

때때로 나는 내 학생들에게 버스에 탈 때 어떻게 행동하는지 묻는다. 단 두 자리가 앞쪽에 있다. 하나는 대부분의 사람들처럼 보이는 한 사람 가까이에 있다. 다른 하나는 대부분의 사람들과 분명히 다른 사람 가까이에 있다. 이 사람은 공무원들에 의해 지적장애인 또는 아마도 정신이상자로 불릴 것이다. 당신이나 우리는 어느 자리를 선택할까?

10.1 탈시설화

최근의 구호[슬로건]는 탈시설화였다. 이탈리아는 정신이상자들을 위한 시설들을 폐지함으로써 일찍 시작했다. 환자들은 병원에서 나와 사회로 돌아갔다. 미국은 소년원에서 일찍 시작했다. 자신이 봤던 것에 충격을 받은 신임 소장은 시설들을 싸게 팔아치워서 청소년들을 나가게 하는 것 이외에 대안이 없었다.[1] 스칸디나비아에서는 골치 아픈 부랑자들을 위한 시설은 모두 사라졌다. 또한 육체적으로나 정신적으로 장애가 있는 사람들을 위한 많은 특수학교나 다른 장소들이 그렇게 사라졌다. 계속된 추문들이 이 시설들에 대한 신뢰를 깨뜨렸다. 오늘날, 주요한 과정은 모든 부류의 사람이 시설에서 나와 평범한 학교·의료 서비스·복지 체계로 들어가는 것이다. 기본적으로 모든 사람이 평범한 사회에서 평범한 삶을 살 수 있다.

그 평범한 사회를 들여다볼 때까지는 좋게 들린다.

이탈리아 여성들은 최초로 저항한 사람들에 속하였다. 이들의 슬로건은 '정신이상자를 가족에게 돌려보내자'라는 것이었지만, 그 가족들은 그들이 떠났을 때와 같지 않았다. 가족들은 더 이상 [그들을 받아들일 만큼] 대가족이 아니었다. 가정에서는 여성들이 더 이상 무료 서비스를 제공하지 않았다. 정신병원에서 돌아오는 길은 생활과 생기로 가득 찬 가정으로 이어지지 않았다. 그 길은 대단히 규칙적으로 도심에 있는 하숙집 방으로 이어졌다. 또는 집 없이 비닐봉지 안에 모든 소지품을 넣고 우리의 눈부신 현대 도시의 거리를 거니는 노숙자로의 길로 이어졌다. 또는 또 다른 시설 형태인 감옥으로 이어졌다.

---

1. 제롬 밀러Jerome Miller는 왜 그리고 어떻게 그가 그렇게 했는지에 관해 책을 곧 발행할 것이다.

종종 그들이 모여드는 장소는 절망적인 풍경을 이룬다. 디어와 월치Dear & Wolch(1987)는 탈시설화에서 홈리스로의 길에 대해, 그리고 이제 가시화되는 특별한 위험들에 대해 생생하게 묘사해 왔다. 좋은 대안이 없는 사람들은 대도시의 중심부에 모여드는 경향이 있다. 여기에 대부분의 복지 노동자들이 있다. 여기에는 또한 하숙집들이 있고, 이런 유형의 사람들에 대한 전반적인 관용이 있다. 멋진 이웃들은 그들을 들이지 않을 것이다. 교외 거주자들은 문을 닫는다. 사람들이 비교적 드물게 살고 조금 황폐한 도시 중심부는 다르게 보이는 사람들을 위한 공간으로 남는다. 여기로 이사한 그들은 일종의 분리된 구역들을 창조한다.

　하지만 그들은 상처받기 쉽다. 그리고 이 구역들은 형성되기도 전에 거의 사라진다. 산업화된 세계 곳곳에서 같은 사회적 과정이 일어나고 있다. 도심은 다시 인기 있는 곳이 되고 있다. 도시 주변부에는 더 이상 이용 가능한 공간이 없다. 동시에 중심부에서 살고 일하는 것 둘 다 더 매력적인 것이 되고 있다. 오염 공장들은 멀리 밖으로 나가고, 청정 산업이나 전자 산업으로 바뀐다. 도시 재개발은 도시에 그 흔적을 남긴다. 중심가는 또한 주거의 중심이 된다. 고급화 과정이 일어난다. 분리된 구역에 사는 사람들에게 이것은 재앙이다. 그들은 아름다운 사람들이 아니며, 천천히 밀려난다. 도시 중심부는 아름다운 사람들에게 좋은 곳이 된다. 하지만 교외 지역들은 그동안 변하지 않았다. 교외 지역들은 분리된 구역에 사는 사람들을 받아들이지 않을 것이다. 따라서 중세 시대에서처럼 그들은 도시에서 도시로 값싼 삶을 위해 값싼 공간을 찾아 길 위로 밀려난다. 이 과정에서 그들은 종종 법과 질서의 세력들과 만나게 될 것이다. 그들은 골칫거리에서 범죄자로 재정의된다. 보살핌을 위한 시설들이 해체되고 도심이 미화된 곳에서 감옥들이 그들을 인계한다.

이 상황은 예외가 없지는 않다. 탈시설화는 종종 실질적 개선을 의미해 왔다. 청소년들은 소년원의 잔인한 영향에서 벗어났다. 클라이언트들은 폐쇄된 시설에서 나와 지역 공동체로 들어갔다. 이탈리아의 실험은 낡은 정신 의학의 옹호자들이 주장하길 좋아하는 총체적 실패는 아니었다. 이전 수용자들은 종종 그들 소유의 아파트에서 혼자 살거나 같은 처지의 소수의 사람들과 함께 살았다. 만약 도움이 필요하다면, 몇몇 전문가가 사회문제에 대해 조언하고, 치료에 도움을 주거나, 실제로 음식과 깨끗한 옷을 가지고 온다. 때때로 몇몇 도우미들은, 만약 문제가 발생하면, 아파트나 집 또는 이용 가능한 가까운 곳에서 잔다. 많은 사람들이 시설 밖으로 나가고, 더 평범한 환경으로 되돌아가고 있는 것이 현실이다.

학교로부터 우리는 또한 성공 이야기를 듣는다. 예전에는 특수학교에 갔던 아이들이 이제는 평범한 아이들과 함께 한다. 어떤 경우에는 임시 교사들이 평범한 반에서 내내 그들을 돕는다. 다른 경우에는 그 아이들은 그들의 필요에 맞춰 편성된 특수반에 모인다. 종종 그들은 학교와 사회 생활에 참여하면서 좋은 시간을 갖는다. 사람들은 그들을 알게 된다. 그들을 둘러싼 어떤 신비주의는 사라진다. 특히 시골 지역에서 그들은 지역사회에 알려지게 되고, 만약 그들이 평범한 학교에 있지 않았다면 못 했을 수도 있는, 더 편안한 생활을 할 것이다.

하지만 학교에서도 버스에서 좌석을 선택할 때와 같은 경우가 있다. 아이들 사이의 생활은 거친 생활이다. 선택은 무작위로 이루어지지 않는다. 교사들이 배정할 수도 있고 부모들이 권장할 수도 있지만, 중요한 상황에서 대부분의 아이들과 많이 다른 아이들은 자신들이 홀로 있다는 것을 발견할 것이다. 만약 학교에 그런 아이들이 여러 명 있다면, 그들은 서로 찾는 경향이 있을 것이다. 그들이 친구들의 기준을 거부하는 것 또한 그들의 몫이기 때문에, 마지못해 그렇게 할 것이다. 하지만 아이들은 대안이 없다. 그들이 고립되어 있는 학교에서, 그들은 고립된 채로 남게 된다. 왜 평범한 아이들은 평범한 어른들과는 다르게 행동하는가?

도움을 필요로 하는 어른들은 아파트apartment로 들어가도록 도움을 받는다. 메시지는 단어 속에 있다. A parte-한쪽으로, appartare-분리하다. 골치 아픈 하루, 일터에서 집으로, 개인 열쇠, 문을 연다, 잠근다. 혼자다. 가식을 버리려는 사람들에게는 축복이다.

하지만 이 책에서 특별히 관심을 갖는 사람들이 또한 마지막 사회적 선택지였던 일터에서 돌아온다. 그들은 앞에서 묘사한 대로 버스를 타고 다녔다. 그들은 수년에 걸쳐 거절을 당하면서 이것을 경험했다. 현재 그들은 혼자이거나 아파트 — 그들의 분리된 부분 — 에서 둘 또는 셋의 다른 거부당한 사람들과 함께 있다.

만약 낮 시간 동안 거기에 고용된 도우미들이 없다면, 또는 밤 동안에 함께 머물 다른 사람들이 없다면, 그들은 홀로 남는다. 그리고 종종 두 가지 뿌리 깊은 문제가 있다. 하나는 비용이다. 복지국가들은 일반적으로 곤경에 처해 있고, 그 정도가 점점 더 심해진다. 복지국가들은 다수자가 부족함을 경험했거나 부족하게 살았던 나라들에서 만들어졌다. 하지만 그것은 다수자에 대한 해결책이지만, 동시에 비용이 상승하고 있다. 특별한 것을 필요로 하는 사람들에게 주어지는 특별한 돈은 더 이상 쉽게 이용할 수 없다.

또 다른 문제는 덜 분명하다. 그것은 지불[보수]에 기초한 사회생활의 질과 관련 있다.

10.2 보수를 받는 친구?

도움을 필요로 하는 사람들 중에 일부는 탈시설화를 통해 평범한 사회로 돌아가지만, 특별한 방식으로 그렇게 한다. 그들은 돌아가지만, 돌아간 것이 아니다. 그들과 우리 사이에 보이지 않는 유리벽이 있는 것처럼 말이다. 그들은 우리의 거리에, 버스에, 학교에, 집에, 일터에 있다. 가깝지만 멀리. 우리 속에서, 하지만 외롭게 있다.

시설에서 되돌아온 또는 더 이상 시설에 자리 잡지 않은 사람들을 위한 주요한 해결책은 지원 네트워크를 만드는 것이다. 평범한 사회는 이제 과거의 그 사회가 아니라고 일반적으로 받아들여진다. 가구는 더 작고, 친척들은 너무 멀리 떨어져 살아서 서로 보살피기 힘들다. 도움과 지원을 상당히 필요로 하는 사람들은 엄청나게 큰 문제에 빠진다.

도움이 필요하다. 그리고 그것이 제공된다. 전문 도우미 부대가 동원된다. 낮 시간에, 오후 시간에, 밤 시간에. 매 시간이 보수를 받는[돈으로 고용된] 도움이다. 사회적[복지] 노동자들과 관련 전문가들의 수는 엄청나게 증가한다. 하지만 우리가 특히 관심을 가지고 있는 사람들은 외로운 사람들이다. 그러면 다음의 질문이 나온다. 우리는 이 과제에 대처하기 위해 전문적 직업인을 훈련시킬 수 있는가? 우리는 그들을 단지 우정에 가까운 또는 친척에 가까운 역할에 이용할 수 있도록 훈련시킬 수 있을까? 어떤 종류의 훈련, 어떤 종류의 임금이 필요한가? 우리는 외로움에 대처하기 위해 전문 직업인을 만들어 낼 수 있을까?

우리는 도우미 네트워크를 제공한다. 보수를 받는 전일제 도우미들 또는 상근 직원들의 감독 아래 자원 봉사 도우미들을 제공한다. 도움은 상호작용을 위해서 필요하다는 점을 둘 다 공통적으로 지니고 있다. 그들은 자신들이 돕는 사람의 필요 때문에 그 사람들과 관계를 맺는다. 이것은 부모들이 아이들을 돌볼 때나 연인들이 상대가 아플 때 돌보는 상황과 비슷하지만 똑같지는 않다. 아이들은 도움을 필요로 하는 사람들에게보다 그들의 부모에게 더 가깝다. 연인들은 병과 필요성을 훨씬 넘어선 문제에서도 폭넓은 관계를 맺는다. 도움 받는 사람은 대부분의 경우 단지 일시적으로 약한 위치에 있다. 이것은 불균형이 영속적인 조건인 전문 직업화된 상황과 대조된다.

또한 평범한 사회생활을 특징짓는 것은 당사자들 사이에서 권리와 의무가 분산되는 것이다. 이것과 대조적으로, 전문가들과 그들의 자원 봉사 도우미들은 선을 긋고 의무를 구체화하도록 훈련받는다. 전문가들에게는, 새롭게 도움을 필요로 하는 사람들이 지속적으로 접근해 올 때, 이렇게 선을 긋고 의무를 구체화하는 것이 중요하다. 도움을 받는 사람이 어느 정도까지 접근하는 것을 인정하는가, 어떻게 친밀함을 막는 장벽들이 유지되는가, 그리고 어떤 특별한 사람에게 시간제한이 할당되는가 등에 관한 규칙이 세워진다.

요컨대, 도움을 주는 사람과 도움을 받는 사람 사이의 관계는, 도움을 주는 사람이 전문가이거나 준-전문가일 때, 두 가지 중요하고 특정한 모습을 드러낼 것이다. 한 사람은 영원히 주는 사람이고 다른 사람은 영원히 받는 사람이라는 의미에서, 그것은 불균형 관계일 것이다. 그리고 그것은 주는 사람의 책임을 분명하게 구체화할 것을 강조하는 관계일 것이다. 그 두 가지 특징은, 친구들 사이의 동등함이 하나의 기둥이고 친구를 옹호할 의무가 또 다른 기둥인, 무한한 우정에서 발견되는 특징들과는 기본적으로 다르다.

10.3 씨 뿌리는 사람

씨 뿌리는 사람은 현대 사회 정책에서 기존 생각들의 상징으로 보일 수 있다. 시설도 없다. 격리도 없다. 평범하지 않은 사람들의 고립된 거주지도 없다. 모두가 평범한 사회로 돌아간다. 이상적인 것은 문제가 있는 사람들이 이른 봄 들판 위에 뿌려지는 씨앗만큼 이 사회에 고르게 퍼지는 것이다. 많은 수의 평범하지 않은 사람들이 제한된 한 지역 안에 모이는 대신 평범한 사람들에게 가깝게 다가갈 상당한 가능성을 지닌 채, 그러나 동시에 같은 문제가 있는 사람들과 있을 가능성은 상당히 적은 채, 얇게 퍼져 있는 것이 이상적이다.

　도움을 필요로 하는 사람들은 그들이 얇게 퍼져 있는 그 사회, 즉 평범한 사회에 의해 어느 정도까지는 간섭 받지 않는다.

대신 그들은 보수를 받는 도우미들의 사회인 평범하지 않은 사회로 흡수되어 간다. 그들은 쉽게 친구를 사귀지 못하고, 그들의 또래들은 드물고, 사이가 멀며, 찾기도 어렵고, 따라서 제한된 사회적 중요성을 지닌다. 보수를 받는 도우미들은 비참함과 완전한 외로움에 대한 주요 대안이다. 도움을 필요로 하는 사람들은 분산된 채 평등한 관계 대신, 자신들을 보살피기 위해 만들어진 체계에 명확하게 종속된 위치로 들어간다. 그들은 친구가 되는 대신 클라이언트[고객]가 된다.

10.4 소수자의 클라이언트화

클라이언트화 과정의 강력함은 씨 뿌리는 사람의 생각에 영향받은 복지국가 안의 난민들 또는 이민자들에게 때때로 일어나는 것으로 설명할 수 있다. 그들은 종종 얇게 퍼져 있다. 상한치는 한 지역 안에 받아들여진 숫자로 정해진다. 이것은 특히 가장 이질적인 사람[이방인]들을 동화시키는 데 도움을 줄 것이라 여겨진다. 2차 세계대전 이후 전국적으로 얇은 난민층이 형성됐다. 그리고 요즘에는 라틴아메리카인, 쿠르드인, 아프리카인 또는 이란인이 남쪽의 크리티아산[2]에서 북쪽의 러시아 국경

---

2. 노르웨이 남부 스카게라크 해협에 자리한 항구 도시: 옮긴이.

에까지(이것은 오슬로에서 아프리카에까지 이를 만큼 먼 거리이다) 넓게 흩어져 있다. 여기서 그들은 서로 상당한 거리를 지닌 채, 넓게 흩어져 사는 게 평범한 노르웨이 사회에 빠르게 접근할 수 있을 것이란 가설 아래서 살아야 한다.

물론, 그들은 이 상황에서 도망친다. 그들은 이곳에서의 생활이 불가능하게 됐을 때 태어난 나라로 도망가기에 충분한 자원을 가진 사람들이므로, 그들 중 많은 수가 그들의 새로운 나라에서 강제된 국내 추방에서 도망갈 자원도 지니고 있다. 그들은 그들이 하지 않을 것으로 여겼던 일을 한다. 그들은 모인다. 그들은 나라 전역에서 자신들의 좋은 아파트를 떠나 다른 사람을 찾을 수 있는 장소에 모두 모인다. 그들은 온갖 종류의 어려움을 무시하고, 자신들과 같은 처지의 사람들 가까이에서, 존엄성이 떨어진 구역에서 산다. 이론상으로 그들은 의존적이어야만 한다. [사회복지] 혜택을 받는 사람이다. 그런 온갖 종류의 어려움과 함께, 그들은 국가 지원 체계에 짐이 될 것이라 간주된다. 사실상 거꾸로다. 덴마크에서 베케르트와 뢴로트 Beckert & Lönnrot(1988)가 보여 주듯이, 그들이 자신들과 같은 사람들과 함께 있다는 바로 그 사실이 그들을 살아남을 수 있게 해 준다. 그들은 운명을 공유하는 사람들과 수많은 상호 관계를 맺게 된다. 그들은 동등한 조건에서 서로 돕는다. 그들은 평범하고 연합하는 사람들이지 혜택을 받는 사람들이 아니다. 하지만 그것은 씨 뿌리는 사람의 원칙과 일치하지 않는 해결책이다. 그것은 평등에 위배된다.

10.5 자연스런 고립지

인종적 소수자들은, 만약 그들이 충분히 강하다면, 서로에게 가까이 가려고 노력한다. 하지만 전부는 아니다. 어떤 사람들은 벽을 가로지를 것이고 평범하게 될 것이다. 얼마 후 전체 고립지enclave는 사라질 것이고, 모든 구성원은 그 벽을 가로지를 것이다. 스웨덴의 핀 족Finns이 한 예이다. 그들은 핀란드어를 지키려고 애쓰지만, 그것은 어렵다. 핀 족과 스웨드 족Swedes은 동일한 기본 목표, 즉 일과 돈을 가지고 있다. 그것이 핀 족이 온 이유다. 언어를 제외하면, 그들이 얼마나 다른지, 특히 이민자들이 함께 사는 것을 통해 지킬 만한 어떤 것을 가지고 있는지는 불명확하다(Rosenberg, 1987). 만약 새로운 나라에서 처음 몇 해를 동료들 사이에서 보낸다면, 종종 동화는 더 빨라지는 것 같다. 이스라엘은 처음에는 씨 뿌리는 사람의 원칙에 따라 자신의 국가를 세우려고 노력했지만, 나중에는 변했다. 같은 나라에서 온 사람들은 함께 시작하여, 그 후 천천히 더 큰 혼합체로 옮겨 가도록 독려되었다. 미국은 이것의 중요한 예이지만, 이민자들이 충분히 많다면 자신들의 고립지에서 머물기도 한다. 미네소타에는 전통적으로 스웨드 족을 미워하는 노르웨이인들의 정착지가 여전히 많이 있는데, 그들 사이의 거리는 30마일에 불과하다.

평범한 사람들은 주위에서 자신들과 같은 부류의 사람들을 찾을 수 있도록 사회생활을 구축해 간다. 그리 평범하지 않은 사람들도 똑같이 해야 하는가?

그들은 그렇게 하도록 허용되지 않는다. 도움을 필요로 하는 같은 처지의 많은 사람들, 그것이 우리가 시설에서 발견하는 것이다. 또는 더 나쁘게는, 게토라고 불린다.

이것은 우리의 기본적인 딜레마를 보여 준다. 즉, 정신이 이상한 사람들, 외로운 사람들, 지적장애인으로 불리는 사람들, 또는 부끄러움이 많은 사람들, 그들은 우리 사회에서 외롭다. 그들은 많은 사람들이 외로운 것처럼 외롭고, 단지 조금 더 외롭다. 그들은 도움을 받을 수 있지만, 클라이언트가 된다. 또는 그들에게는 서로를 도울 수 있는 가능성이 주어질 수 있다. 하지만 그런 다음 그들은 통상적인 것에서 벗어나, 다른 상태로 남아 있다. 딜레마는 이것이다. 즉, 보통 사람들 사이에, 그들과 가깝게, 어엿한 구성원은 아니지만, 거기에 있도록 도움 받고, 평범한 생활·정상적인 생활에 가깝지만, 클라이언트로서의 생활에 가깝게 — 얇게 — 퍼져 있는 것이 더 나을까? 아니면, 외롭지도 않고 클라이언트로서도 아니지만, 주요한 문제를 해결하는 사람들처럼 살지 않음으로써, 평범하지 않고 장애가 있는 사람들 사이에 있는 것이 나을까?

10.6 청각-언어장애인[농아인]

베리트Berit는 그녀의 친구와 함께 사는 훌륭한 학생이며, 일반적인 커플이고, 일반적인 생활을 한다. 그녀는 "함께 사는 많은 평범하지 않은 사람[장애인]들"이란 화제가 언급될 때 크게 화를 낸다. 그녀는 시력이 약하고, 오랫동안 그렇게 살았다. 어떤 큰 집에서, 대부분이 시각장애인인 사람들과 함께, 시각장애인들이 하리라 여겨지는 일을 훈련받았다. 그녀가 이 모든 것을 깨고 나와 대부분의 사람들처럼 될 때까지, 전화 교환원은 그녀의 운명이었다. 그녀는 거기서 같은 처지의 동료들 속에 폐쇄된 채 의존자로, 클라이언트로 살지 않을 것이다.

하지만 베리트는 태어날 때부터 청각장애인이었을지도 모른다. 외롭게 성장한 것은 그 상황에서 대단히 고립되었음을 의미했다. 주위에 귀가 들리지 않는 다른 사람들이 없었다면, 그녀는 지적장애인으로 간주될 가능성이 높았을 것이다. 듣지 못하면, 그녀는 말하는 것을 배우지 못했을 것이다. 그녀 가까이에 사람들이 있었으면, 그녀는 가장 기초적인 소통 체계를 발전시켰을지도 모른다. 가족이 여유가 있었다면, 그녀는 청각-언어장애인들을 위한 교육 시설로 보내졌을 수도 있다. 벙어리(dumb)란 말은 단순히 어리석다는 것을 의미하지만, 어원은 짙은 안개에 싸여 있다.

베리트는 ― 만약 청각장애인이라면 ― 청각-언어장애인들을 위한 학교에 가는 것이 나을까? 그녀는 그렇게 했을 가능성이 크다. 꼭 교사 때문이 아니라, 그곳에 있는 다른 아이들 때문에. 그들 또한 청각장애인이고 아마 언어장애인이었겠지만, 함께 모일수록 장애가 덜 부각되었을 것이다. 장애를 공유하며 그곳에 있음으로써, 그들은 기회가 주어질 때에는 인간이면 누구나 하는 것을 했다. 그들은 대안을 개발했다. 소통하는 것은 인간에게 일차적인 욕구이다. 통상적인 수단을 빼앗길 때, 인간은 색다른 수단을 발전시킨다. 청각장애 아이들은 수화를 발전시킨다. 그들은 손가락, 손, 입술 그리고 신체의 위치와 움직임에 기초해 언어를 발전시킨다. 함께함으로써, 그들은 자신들의 한계를 극복한다.

하지만 이 해결책에 반대하는 차별 폐지론자[통합주의자]들이 나온다. 그들은 청각장애인이 그들의 격리된 생활에서 벗어나도록 도움을 받아야 한다고 주장한다. 또는, 만약 도움이 충분하지 않다면, 그들을 격리된 생활에서 강제로 벗어나게 해야 한다고 주장한다. 그들을 강제로 격리된 생활에서 벗어나게 하는 방식은 시설들을 없애는 것이고, 수화 사용을 막는 것이며, 그들에게 독순법과 말하기의 개별 훈련을 제공하는 것이다.

따라서 여기에는 두 가지 세계관이 있다. 청각장애인들을 그들 자신을 위한 언어를 가진, 하지만 그래서 ─ 모든 문화적 소수자들처럼 ─ 서로를 필요로 하는 소수자 문화에 속해 있는 것으로 보는 관점 하나가 있다. 다른 관점은 청각장애를 극복할 필요가 있는 중증 장애로 본다. 청각장애를 극복하기 위해서는 청각장애인들의 문화를 없애고, 그들의 언어를 없애고, 그들을 최대한 평범한 생활의 주류로 들어가도록 하는 것이 필요하다.

이 두 세계관 사이의 전쟁은 세기의 전환기에 미국에서 특히 강렬하게 터져 나왔다. 청각장애인은 소수자 문화에 속하고 그처럼 행동해야 한다는 관점을 주장한 사람으로 프랑스인 로랑 클레르크Laurent Clerc가 있었다. 그는 자신이 청각장애인이었고, 확고하게 수화에 기초한 시설인 유명한 파리 국립 농아원 출신이었다. 그의 마을에서 이 시설로 오는 것은 "의미의 그림자가 회색의 장벽에서 아리송하고 불길하게 나풀거리는" 동굴로부터 나오는 것과 같았다. "나는 진실한 소통의 밝은 곳으로 나왔다. 여기서는 메시지가 표현되자마자 이해되었다"(Lane 1984, p. 10).

하지만 그의 적대자는 더 힘이 있었다. 이 남자는 들을 수 있었다. 그는 아름다운 목소리와 뛰어난 머리가 있었다. 이 사람은 전화기 발명가인 알렉산더 그레이엄 벨Alexander Graham Bell이었다. 청각장애인들에 대한 그의 관심은 그의 발명에서 유래한 것이 아니었다. 거꾸로였다. 그의 관심은 수화에 반대하는 자신의 강력한 투쟁과 조화를 이루는 발명이었다. 다시 레인의 말을 들어보자(1984, pp. 340-1).

클레르크와 벨은 그들의 생애를 바쳤던 중심적인 대의명분에서, 역사적인 역할에서뿐만 아니라, 사실상 다른 모든 방식에서 부딪쳤다. 클레르크가 인간의 다양성에서 힘을 찾았던 반면, 벨은 약함과 위험을 찾았다. 클레르크가 차이를 보았던 반면, 벨은 일탈을 보았다. 클레르크는 예외적인 사람들에 관한 사회적 모델을 가졌고, 벨은 의료적 모델을 가졌다. 무엇보다도 클레르크에게 못 듣는 것은 사회적 장애이고, 청각장애인의 큰 문제는 그들이 소수자로 있는 들을 수 있는 세계였다. 그는 호의를 지닌 들을 수 있는 사람[건청인]들이 청각장애인의 문화와 언어를 받아들임으로써 그 장애를 제거하는 날을 희망했다. 벨에게 못 듣는 것은 신체적 장애였다. 만약 이것이 치료될 수 없다면, 이것의 상흔을 덮음으로써 완화시킬 수 있을 것이다. 호의를 지닌 들을 수 있는 사람들은 청각장애인들의 특별한 언어와 문화를 부정하고, 들을 수 있는 세계에서 들을 수 있는 사람들처럼 "여기며" 청각장애인들을 도왔을 것이다. 언어 교사들의 회의에서 연설하면서, 벨은 청각장애 아이들에 대해 "우리는 그들이 청각장애인이라는 것을 잊도록 스스로 노력해야 한다. 우리는 그들이 청각장애인이라는 것을 잊도록 그들을 가르쳐야 한다"라고 말했다.

클레르크에게 교육의 최우선 목적은 개인적 성취인 반면에, 벨에게 그것은 들을 수 있는 다수자와의 통합이었다.

"나는 … 청각장애인 아이가 쉽게 수화를 습득하고 자신의 정신을 발전시킬 목적으로 수화를 완벽히 적용할 수 있다고 인정한다. 하지만 결국, 그의 운명이 던져져 있는 삶에서 만나는 수백만 사람들의 언어는 아니다." 클레르크는 아이들에게 제시할 열정과 개인적 성취의 모델로 청각장애인 교사들을 선호했지만, 벨은 그들을 통합의 장애물이라고 반대했다. 클레르크는 수화 공동체를 타고난 언어적 소수 집단이라고 보았고, 지난 수십 년간의 언어학적 연구물은 그가 옳다는 것을 증명한다. 왜냐하면 미국의 수화가 인간 언어의 보편적 속성을 분명히 지니고 있는 많은 측면을 발견했기 때문이다. 벨은 청각장애인들을 결함 있는 집단들 중 하나로 본다. 그는 그 집단들 속에 청각장애인과 지적장애인들을 포함시킨다. 클레르크는 청각장애인들의 모임에서 장점을 보았다. 커플들에게서 공존 가능성이란 장점을 보았다. 학교에서 또래들에 의한 상호 가르침이란 장점을 보았다. 모임들에서 상호 배려와 사회적 행동이란 장점을 보았다. 벨은 청각장애인의 결혼, 기숙학교, 그리고 사회조직들 속에서 폐해를 보았다.

이민자이자 다언어 사용자인 클레르크에게, 2개 언어를 사용하는 능력bilingualism은 청각장애인들과 들을 수 있는 사람들에게 똑같이 중요한 목표였다. 모든 청각장애인은 공용어로 최소한 필수적인 것들을 쓸 줄 알아야 하고, 문자 언어가 없는 공동체의 대변인들인 상당히 교육 받은 청각장애인들은 다수자의 언어에 숙달해야 한다. 그 자신이 그렇게 했다. 반대로, 벨은 모든 미국인을 위해 하나의 언어 사용monolingualism을 선호했다. 전국교육협회에서 연설하면서, 그는 "우리 국민은 세계의 모든 나라에서 모여들었고, 이로부터 또 다른 위험이 공화국을 위협한다. 이 나라의 사람들이 하나의 언어를 말해야 하는 것은 우리 국민의 존재를 보존하는 데 있어 중요하다"고 말했다.

그리고 말하기가 지닌 월등한 가치는 벨에게 논할 필요도 없었다. 레인은 벨이 미네소타에서 열린 교장단 모임에서 "청각장애인들에게 말하기의 중요성은 무엇이냐"는 질문이 안건으로 상정되었을 때 어떻게 반응했는지를 설명한다(p. 365). 벨은 크게 놀랐다. "나는 놀랍다. 짜증이 난다. 말하기의 가치를 묻는 것은 삶의 가치를 묻는 것과 같다! …."

통합의 딜레마는 청각장애인의 역사에서 잘 드러난다. 벨은 청각장애인들에게 언어가 수화보다 더 유용하지 않다는 것을 깨달았다. 하지만 "청각장애인 교육의 주요 목적은 그들을 듣고 말할 수 있는 사람들의 세계에서 살 수 있도록 맞추는 것"이기 때문에, 그것은 주요 견해가 될 수 없었을 것이다. 이것은 다른 통합주의자들이 진술한 것과 유사하다. 주요 목적은 그들을 평범한 사람들의 세계에서 살도록 하는 것이다. 그것은 옳다. 나에게 좋은 것이 **좋다**. 그리고 그것이 모두에게 좋다.

"그리고 침묵이 흘렀다"가 레인 책의 마지막 문장이다. 벨은 자기 생각대로 했다. 청각장애인으로 태어난 사람들은 그들의 언어를 잃었다.

내가 노르웨이에서 이 책을 쓰고 있는 동안에 미국의 청각장애인들 사이에서 혁명이 일어났다. 나는 이 책을 준비하기 전에는 그것을 알지 못했고, 나중에 올리버 색스Oliver Sacks(1988)의 글을 통해 알았다.

그가 묘사한 혁명은 자유를 위한 투쟁이었다. 이것은 미국에서 청각장애인들을 위한 유일한 진보적 예술 단과 대학인 갤로뎃Gallaudet에서 일어났다. 이 대학은 클레르크와 수화에서 자신의 뿌리를 찾았고, 오랫동안 수화에 대한 억압으로 고통 받았다. 현재 전에 없이, 대학 당국 및 이사회를 제외한 모든 곳에서 수화의 재합법화와 부활이라는 변화가 찾아왔다. 이제 대학은 새로운 학장을 맞이할 예정이었다. 6명의 후보자가 있었는데, 세 명은 들을 수 있는 사람이었고, 세 명은 청각장애인이었다. 3천 명의 사람들이, 학생들뿐만 아니라 교사들도 청각장애인 학장을 원한다는 것을 분명히 하기 위해 모였다. 하지만 이사회는 그것을 거부했고, 들을 수 있는 학장을 선택했다. 격렬한 항의가 일주일 동안 뒤따랐다. 새로운 학장은 완고한 자세를 취했다. 하지만 미국 전역에서 청각장애인들이 항의에 동참하면서 압력은 어마어마해졌다. 일주일 뒤에 학장은 얌전하게 무릎을 꿇었다. 청각장애인이 마침내 학장이 되었다. 캠페인은 그 자체로 중요하였다. 색스는 한 참여자의 말을 인용하며 설명한다(p. 24).

저는 들을 수 있는 집안 출신이에요. … 평생 동안 저는 압박을 느꼈어요. 들을 수 있는 사람들의 압박이죠. "넌 들을 수 있는 세상에서는 잘 해낼 수 없어. 들을 수 있는 세상에서는 성공할 수 없어." 하지만 지금은 이런 압박이 전부 사라졌어요. 갑자기 자유로워지고 에너지가 가득한 느낌이에요. 계속 "넌 안 돼, 넌 안 돼"라는 말만 들었지만, 이제는 뭐든 할 수 있을 것 같아요. "귀가 멀어서 멍청하다"는 말은 영원히 사라질 거에요. 대신 "귀가 멀었지만 유능하다"는 말이 쓰이겠죠.[3]

그 캠페인은 잘못 방향 잡은 온정주의를 겨냥했다. 이 온정주의는 청각장애인들이 느끼기에 결코 상냥한 것이 아니다. 이것은 청각장애인들을 병에 걸리지는 않았지만 '무능'하다고 보는 암묵적인 관점에, 동정심과 겸손에 근거하고 있었다. 갤로뎃 사건과 관련된 몇몇 의사들에 대해 특히 비판이 가해졌다. 이들은 청각장애인을 또 다른 감각 양식에 적응한 온전한 사람으로 보는 게 아니라, 단지 귓병에 걸린 사람으로 보는 경향이 있었기 때문이다.

색스는 1880년대의 수화에 대한 억압이 청각장애인들의 교육과 학업 성취뿐만 아니라, 그들 자신에 대한 그들의 이미지와 그들의 전 공동체와 문화에 대해, 75년 동안 해로운 영향을 끼쳐 왔다고 강조한다.

---

3. 이 부분의 번역은 올리버 색스, 『목소리를 보았네』(김승욱 옮김), 알마, 2012, 190쪽을 참고하였다.

비록 이 점에서 '청각장애'라는 단어를 버리고, 이것을 "시각[볼 수 있는]"으로 대체하고, 시각성을 생리적으로 증대시킴으로써 나타난 강렬한 시각 문화에 대해 말하려는 충동을 지닐지라도, 청각장애 문화는 청각장애의 본성 위에서 자랐다.

그들은 이번에 왜 성공했을까? 색스는 항의 지도자들 가운데 한 사람의 말을 인용해 설명한다.

이건 정말 놀라운 일입니다. 나는 지금까지 살아오면서 청각장애인들이 들을 수 있는 사람들의 태도를 수동적으로 그냥 받아들이는 걸 봐 왔습니다. 청각장애인들이 실제로는 주도권을 쥐어야 하는 상황에서도 기꺼이 '클라이언트(피보호자)'가 되는 것도 보았습니다. 겉으로 보기에는 기꺼이 그러는 것처럼 보인 건지도 모르겠습니다만… 그런데 지금 청각장애인으로 살아가는 것의 의미, 책임을 지는 것의 의미에 대해 한꺼번에 의식의 변화가 일어났습니다. 청각장애인들이 무력하다는 환상, 이 환상이 단번에 사라졌습니다. 이건 이제 청각장애인들의 상황이 근본적으로 변할 수 있다는 뜻입니다. 나는 앞으로 몇 년 동안 어떤 일이 일어날지 정말 기대가 큽니다. 미래에 대해 낙관적이기도 하고요.

　"방금 '클라이언트'라고 하셨는데, 그게 무슨 뜻인지 잘 모르겠습니다." 내가 말한다.

팀 라루스 아시죠? 오늘 아침에 바리케이드에서 보셨잖습니까. 그 친구의 수화를 보며 순수하고 열정적이라고 감탄하셨죠. 뭐, 그 친구가 지금의 이 변화가 지닌 의미를 간단하게 요약했습니다. "아주 간단합니다. 청각장애인 학장이 없으면 대학도 없어요"라고요. 그러고 나서 팀은 어깨를 으쓱 하며 텔레비전 카메라를 바라봤습니다. 거기에 그 친구가 하고자 하는 말이 모두 담겨 있었습니다. 지금처럼 청각장애인들이 클라이언트로 머물러 있기 때문에 존재할 수 있는 산업은 클라이언트가 없으면 존재할 수 없다는 사실을 청각장애인들이 사상 처음으로 깨달은 순간이었어요. 들을 수 있는 사람들에게 이것은 10억 달러의 가치가 있는 산업입니다. 청각장애인들이 여기에 참여하지 않으면 이 산업은 사라집니다.[4]

청각장애인들과 이 책에서 주목하는 사람들 사이에는 어떤 유사성이 있다. 청각장애인들은 그들의 언어를 잃었다. 침묵이 흘렀다. 고립된 사람들 또한 말하는 것을 멈춘다. 다수자와 다른 생물학적 기관을 지닌 많은 사람들에게, 그들의 사회생활이 그들의 소통 능력을 최대한도로 사용할 수 있는 형식들 안에서 일어난다는 것은 그들의 소통을 위한 전제 조건이다. 비언어적 상징들 속에서 공통적인 의미가 만들어질 수 있기 위해 그들은 관계에서 영속성을 필요로 한다. 일시적인 복지 노동자들과 온

---

4. 이 부분의 번역은 올리버 색스, 『목소리를 보았네』(김승욱 옮김), 알마, 2012, 218-9쪽을 참고하였다.

갖 부류의 일시적인 도우미들은 최악의 해결책이다. 청각장애인들은 자신들의 신호[수화]가 받아들여질 수 있도록, 소음과 덜 경쟁하는 것을 필요로 한다. 그들은 기대되지 않는[예상 외의] 행동과 단지 너무 기대되는 행동 둘 다에 대해 더 많은 관용을 필요로 한다. 그들은 대다수의 사람들이 필요로 하는 것을 필요로 한다.

11. 평범한 삶

11.1 시내에 있는 마을

최근에 오슬로의 중심부에 캠프힐 마을을 만들려고 하였다. 이 책에서 묘사한 마을과 비슷한, 색다른 사람들을 위한 마을을 만드는 것이었다. 제안의 배경 논리는 단순했다. 마을에 사는 대다수의 사람들이 시내에서 왔다. 그들이 태어난 곳에서 떠나야 하는 것은 옳지 않다. 그들을 위해서 옳지 않다. 마을은 사람들이 온 곳에 존재해야 한다. 그리고 이것은 시내를 위해서도 옳지 않다. 그들이 자신들의 문제라고 보는 것을 외부로 내보내도록 하는 것은 옳지 않다. 하지만 현실에서 상황은 반대이며, 그래서 내 논의가 가능하다. 즉, 시내는 그에 속한 평범하지 않은 사람들을 잃는다. 시내가 중요한 자원들로 입증될 사람들을 잃게 되는 것은 바로 시내를 위해서 옳지 않다.

이상의 모든 점에서, 마을 운동에서 다음 단계로 넘어가기에 적당한 시간이 무르익은 것처럼 보였다. 마을은 도시의 중앙에 만들어져야 한다. 사각형의 안뜰이 있는 19세기 형태의 집과 푸른 들판이 주위에 있는 적당한 장소가 발견되었다. 집의 각 층은 통상적으로 마을의 집 안에서 함께 사는 크기의 집단에 맞게 방을 제공할 수 있었다. 어떤 집은 작업장으로 바뀔 것이다. 도시의 특별한 요구들은 노동 기회를 늘릴 것이다. 호스텔은 가까운 병원으로 쓰일 수 있을 것이다. 자전거 수리장, 도시의 다른 지역에 살고 있는 문제를 지닌 사람들을 위한 일일 보호 센터, 그리고 큰 규모의 모임과 통상적인 강의·콘서트·마을 모임을 위한 만남의 공간이 설치될 것이다. 거친 도시와 가까이 있기 때문에 생기는 문제들이 있을 것이다. 하지만 얻는 것도 있을 것이다. 마을 내부의 강한 사회적 분위기와 함께, 그 공간들은 주변적이기보다 오히려 중심지가 될 수도 있을 것이다. 마을 사람들은 외부 도시에서 동료를 찾는 손님이 되기보다, 오히려 자신들의 동료를 찾는 사람들을 위한 주인이 될 것이다. 문젯거리를 지닌 사람들이 함께 도시, 그 안의 시장, 박물관, 공원, 극장, 다른 공공장소를 탐색할 수 있을 것이다. 그것은 게토 생활의 측면을 지닐 것이지만, 외부 도시와 매우 강하게 접촉하는 양상을 띨 것이다.

이것이 계획이었다. 그것은 자극[도발]으로서 기능했다. [지적장애인을 위한] 협회Association가 존재한다. 회원들은 주로 지적장애인들의 친척들로 구성된다. 오슬로 협회 회장은 이것이 격리와 특별한 돌봄을 촉구하는 제안이라고 썼다. 시내에 있는 마을은 지적장애인들이 그 생활의 모든 경험과 함께 정상적 삶을 사는 것에 대해 [그들을] 보호해야 한다는 것을 의미할 것이다. 하지만 오슬로 협회 회장은 분명하게, 그들이 — 자신들의 특정한 문제들을 지니고 있는 — 의미 있는 생활을 이끌 수 있도록 조건들을 만들어야만 한다고 덧붙인다(*Vår rett*, No. 3 1988, p. 10-11).

이 견해는 또한 사회사업부에 공식적으로 전달됐다. 곧 대답이 왔다. 지적장애인협회의 관점에 대해 분명히 언급하면서, 도시 안에 마을을 만드는 것에 대한 어떤 원조도 거절했다. 오슬로의 지방자치 당국에 직접 접근하는 것도 마찬가지로 소용이 없었다. 최근 노르웨이 의회에서 만장일치로 찬성한 계획에 따라, 지적장애인을 위한 모든 시설은 몇 년 안에 없어질 수 있다. 시설들은 [인간의] 존엄성을 떨어트리는 것으로 밝혀졌다. 지방자치 당국들은 대신 "그들의" 클라이언트를 집으로 되돌려 보낼 책임이 있다. 국가는 지방자치 당국이 이것을 할 수 있도록 상당한 금액의 돈(1990년 한 해 동안 클라이언트당 50만 노르웨이크 로네, 대략 영국 돈 5만 파운드)을 지방 당국에게 준다. 이 책을 인쇄하는 순간까지, 수도에 있는 사람들은, 특히 클라이언트를 시설에서 사회로 돌아가도록 돕는 데 책임 있는 사람들은 시내에 있는 마을이란 생각을 논의하는 것조차 거부했다.

11.2 권리 또는 의무

우리 대부분은 권리를 지니고 의무를 수행해 왔다. 우리는 주요한 사회 장치들 안에서 활동할 수 있다. 우리는 동료를 선택하고 동료의 선택을 받는다. 우리는 안과 밖을 계속해서 오간다. 선택 받은 사람들에게 사생활은 좋은 것이다. 하지만 바로 그 용어는 두 가지 의미를 지닌다. 그것은 자유로운 것을 의미하지만, 또한 빼앗는 것, 강도짓을 의미한다. 차를 이용하지 못하는 어떤 사람들에게 공동체를 관통하는 고속도로는 생활의 질을 축소시킬 것이다. 다른 사람들에게, 사생활에 대한 강조는 같은 효과를 지닐 것이다. 그런 사람들이 많을 수도 있을 것이다. 하지만 그들은 이것을 설명하기 쉬운 위치에 있지도 않고, 소통을 위한 공적 영역에 가까이 있지도 않다.

평범하지 않은 사람들은 자신들의 친구들을 그리고 친구 연계망을 가지고 있다. 이 친구들은 '평범하다.' 그리고 그들은 정의justice라는 측면에서 다음과 같이 생각한다. 왜 도움을 필요로 하는 사람들은 모든 사람과 같은 생활을 하지 않는가? 우리에게 좋은 것은 모두가 이용할 수 있어야 한다. 그[우리의] 생활을 모두를 위한 생활로 만들지 않는 것은 기만처럼 느껴진다.

게다가 마을 생활이 불러일으키는 것이 있다. 최소한 나에게, 마을 생활은 내가 함께 사는 생활의 근본적인 장치들에 의문을 제기해 왔다. 마을 사회들은 평범한 생활[삶]의 근본 전제에 도전한다. 평범한 생활은 도움을 필요로 하는 많은 사람에게 는 분명히 양질의 생활이다. 물론 대다수의 사람들은 도움을 필요로 한다. 어릴 때, 위기에 직면했을 때, 또는 아마도 영원히, 도움을 필요로 한다. 생활 문제에 대처하고, 외로움에 대처하고, 돈을 관리하는 데 있어 무능 — 적어도 돈을 나누어 주겠다는 이상과 돈의 수요를 균형 맞추지 못하는 무능은 아닌 — 에 대처하는 데서 도움이 필요하다. 아마도 마을에 사는 사람들은 마을 밖에 사는 어느 누구보다도 더 나은 생활을 한다. 아마 우리 모두는 마을에서 살아야 한다. 이 같은 생각들은 일상생활의 근간을 위협한다. 이것이 평범하지 않은 사람들을 위한 마을이란 생각을 거부하게 하는 또 하나의 이유가 된다.

　평범한 삶을 살 권리에 대해 이야기하는 것은 너무 단순해진다. 그것은 권리에 대한 물음일 뿐만 아니라 그러한 삶을 살 의무에 대한 물음이다. 그것은 모든 사람의 평등과 관련될 뿐만 아니라 산업화된 사회의 주요한 해결책을 보호하는 문화적 헤게모니와도 관련된다. 이 마을들은 거절당할 정도로 너무 도전적인 대안들을 대변한다.

11.3 두 가지 명예로운 단어

동화*assimilation*는 명예로운 단어 가운데 하나이다. 그것은 다음을 의미한다. 다른 누구나처럼 비슷하게 되는 것이다. 평범하지 않은 사람들은 그렇지 않다.

통합*integration*은 다른 명예로운 단어이고, 아마도 평범하지 않은 사람들을 평범한 구성원으로서 평범한 사회로 옮기는 모든 움직임 안에서 논란의 여지가 없이 훨씬 높은 위치에 있는 단어이다. 무엇을 의미하는가 물으면, 많은 사람이 한 가지 옳은 대답을 할 것이다. 사람이 자신의 손을 포개면, 이제 손은 하나가 된다. 다른 사람들은 하나의 전체a whole를 형성하고, 그 전체the whole로 드러나고, 총체totality의 일부분이 된다고 말한다. 어떤 사람들은 분리의 반대로 통합을 가리킨다. 통합이 명예로운 단어, 즉 장애인이라고 여겨지는 사람들을 위한 모든 일에서 이뤄야 할 목표가 되었다는 것은 놀랍지 않다.

하지만 단어들은 종종 이중의 의미를 지니며, 깊은 딜레마를 반영한다. 정상적인 생활의 옹호자들을 위한 바로 그 핵심 개념의 역사를 더 거슬러 올라가 보면, 우리는 또 다른 뿌리를 발견한다. 단어들의 역사에서 통합은 만지다touch를 의미하는 *tangere*에서 발전했다. 접두사 'in'은 부정이다. 따라서 통합In-tegration은 만져지지 않는 것non-touched을 의미한다. 그 의미는 우리가 "고결한of integrity" 사람에 대해 이야기할 때 아주 분명하다. 만져지지 않는 사람들은 통합된[고결한] 사람들이다.

평범하지 않은 사람들은 다른 사람들과 비슷하지 않으며, 결코 그럴 수 없다. 도움은 결함으로 보이는 것을 보상할 것이고 다른 사람들의 것과 비슷한 최종 결과를 만들 것이라는 믿음에서, 그들은 평범한 사람들보다 더 많은 도움을 받을 수 있다. 하지만 묘사한 대로, 이 도움은 최근 우리의 사유 방식에서는 지불받는 우정의 형식으로 주어진다. 따라서 총체적인 동화는 불가능하다. 사람이 비슷해지게 도움을 받을수록 더욱더 클라이언트처럼 되는데, 이것은 문자 그대로 귀족이 부를 때 달려오는 사람을 의미한다. 클라이언트가 되는 것은, 포개진 손의 한 손가락이거나 또는 다른 모두에게 비슷한 총체성의 일부분이라는 의미에서 통합일 수 없다.

그 개념[통합]의 애초의 의미에서 통합을 향해 나가는 것이 더 현실적이다. 어떤 인간도 완전히 통합되고, 완전히 접촉하지 않고는 살아남을 수 없다. 다른 인간들로부터의 부드러운, 그리고 종종 그렇게 부드럽지는 않은 접촉을 통해서 사람은 인간들 가운데 하나가 된다. 하지만 접촉하지 않고 살아남을 가능성에는 한계가 있을 뿐만 아니라, 접촉하는 것의 이득에도 한계가 있다. 다르게 보이는 사람들은 자신들을 클라이언트로 만들어 보호하려는 사회 형식들로부터 이득을 볼 것이다. 마을은 그런 사회 형식들의 여러 가능한 사례 가운데 하나이다. 예외적인 사람들의 특정한 능력과 요구들에 채널을 맞춤으로써, 우리는 산업사회의 주요 해결책에 대한 실행 가능한 대안들을 만들어 낼 수 있을 것이다. 결국 우리는 예외적인 사람들에게 특별히 맞추어진 사회 형식들 속에서 사는 것이 우리 대다수에게 이롭다는 것을 발견할 것이다.

옮긴이 후기

평범하지 않은 사람들을 위한 코뮌이라는 제목에 솔깃하여 책
을 구입하여 읽게 되었다. 캠프힐 마을, 즉 장애인 코뮌에 대한
이야기였다.

코뮌에 대해서는 많은 논의가 있어 왔다. 마르크스의 파리코
뮌에 대한 분석과 열렬한 옹호는 잘 알려져 있다. 샤를르 푸리
에의 팔랑스테르에 대한 분석도 코뮌에 대한 밀도 있는 접근으
로 평가받고 있다. 또한 아나키즘의 흐름 속에서 소규모 공동
체에 대한 믿음과 코뮌으로서의 가능성에 대한 탐색이 있어 왔
다. 그런데 이러한 접근들에서 주체는 이념을 장착한 합리적인
인간으로 설정되어 왔다. 평범한 사람들, 대다수의 사람들이
주체였다.

코뮤니즘 논의에서도 주체는 마찬가지로 이념을 장착한 노
동자계급으로 설정되어 왔다. 더군다나 노동자계급 안에서 진

짜 노동자를 찾아 나섰다. 룸펜프롤레타리아트를 의심하고 중간계급을 이중적이고 동요하는 계급으로 평가하고 노동자계급 안에서 핵심으로서 산업노동자계급을, 그 안에서도 생산적인 노동자층을 주요한 주체로 설정하게 되었다. 이러한 진짜 노동자 찾기는 전위당론과 짝을 이루어 나갔다. 물론 예외적으로 그러한 조직론적 흐름과는 다르게 평의회를 강조하고 노동자계급의 자생성을 중시하였던 로자 룩셈부르크도 있었다.

중심과 표준을 따르는 이러한 주체론들은 결국 위계적인 조직 형식을 추구하였고, 현실 사회주의에서는 국가를 강화하는 역설적인 현상을 가져왔다. 현실 사회주의의 붕괴와 전위당론의 약화는 서구에서는 68혁명과 더불어 시작된 다양한 주체들의 등장과 맞물려 있었다. 전위와 대중의 관계를 설정하고 전위가 대중을 지도해야 한다는 대중 지도 및 조직론은 이질적인 다양한 주체들이 등장하면서 약화되기 시작하였다.

이러한 흐름 속에서 네그리와 같은 사람은 다양한 노동층과 비노동층을 포괄하는 대중multitude 개념을 스피노자를 경유하여 발전시키기도 하였다. 자동화와 비물질노동화에 따라 나타난, 전통적인 마르크스주의적 계급 개념으로 포괄할 수 없는 다양한 사회층을 포괄하려는 시도였다. 동시에 사회 변화의 축을 국가 장치화 되는 보장된 노동자계급 쪽에 두는 것이 아니라 불안정한 주변층에 두는 주장으로 나아갔다. 네그리의 이러한 논의 전개를 더욱 확장하여, 탈근대적인 관점에서 욕망을 추구하는 다양한 소수자들을 사회 변화의 주요한 동인으로 볼 수 있을 것이다.

이 책에서 장애인들이 보이는 기술과의 관계, 자신들의 활동의 속도를 조절해 나가는 것, 돈을 하나의 모자 안에 넣어 두고 쓰는 방식, 고유한 생활 리듬, 권력을 만들어 내지 않는 관계 맺기 방식, 기존의 시설들과는 다르게 되기, 더 나아가 탈시설화 등등에 대한 잔잔한 묘사는 가슴을 뭉클하게 한다. 거창한 선언적인 문구 속에서 거시 정치를 향해 나아가는 실천 운동과는 반대로, 미시적인 실천 속에서 전혀 다른 관계를 만들어 나가는 모습을 볼 수 있다. 동화와 통합이 아니라 다르게 살기라는 방향을 분명하게 드러내고 있다.

이러한 점에서 이 책은 소수자들의 대안 운동에 많은 시사점을 줄 수 있을 것이다. 그동안 한국에서 다양한 대안 운동이 전개되어 왔지만 소수자들이 주체가 되어 전개된 경우는 많지 않았다. 여전히 합리적이고 어느 정도 이념을 장착한, 예를 들어 자본주의 전개에 대한 비판적이고 생태주의적인 지향을 지닌 주체들이 중심을 이루었다고 말할 수 있을 것이다. 이제 소수자 운동과 대안 운동이 만나는 시기가 온 것 같다. 이 책은 바로 그러한 만남에 많은 자양분을 줄 것이라고 생각한다.

이 책은 Nils Christie, *Beyond Loneliness and Institutions: Communes for Extraordinary People*(Wipf & Stock Publishers, 2007)을 텍스트로 하여 번역한 것이다. 크리스티식 노르웨이

영어를 해독하느라 어려웠는데, 다행히 일본어 번역본(Christie, Nils(ニルス・クリスティー) 著; 立山 龍彦 譯.『障害者に施設は必要か : 特別な介護が必要な人人のための共同生活體』東京: 東海大學出版會, 1994)을 참고하여 도움을 받았다.

　가독성을 높이기 위해 여러 번 교정해 주신 강동호 사장님께, 그리고 노르웨이어 발음을 확인해 주신 김찬호 선생님께 감사드린다.

참고 문헌

Beckert, Birgitte and Gitte Lonnrot: "Etniske grupper og bosætning." ("Ethnic Groups and Habitation"). *Information*, Copenhagen March 21, 1988. Cfr. also Nils Ufer: *Set fra Ishøj*. Copenhagen 1988.

Dear, Michael and Jennifer Wolch: *Landscapes of Despair: From Deinstitutionalization to Homelessness*. Oxford 1987.

Edgerton, Robert B.: *The Clock of Competence: Stigma in the lives of the Mentally Retarded*. Berkeley 1967.

Ekelof, Gunnar: *Blandade kort*. (Mixed cards), Stockholm 1957.

Ende, Michael: *The Never-Ending Story*. London 1984.

Foucault, Michel: *Discipline and Punish: The Birth of the Prison*. London 1977(오생근 옮김, 『감시와 처벌』, 나남, 2011).

Foucault, Michel: *Madness and Civilization: A History of Insanity in the Age of Reason*. London 1965(이규현 옮김, 『광기의 역사』, 나남, 2010).

Goffman, Erving: *Essays on the Social Situation of Mental Patients and Other Inmates*. New York 1961.

Illich, Ivan: *Tools for Conviviality*. New York and London 1973(박홍규 옮김, 『절제의 사회』, 생각의 나무, 2010).

Kavafis, Konstantin (or Kabaphis, Konstantinos): *The Complete Poems*. New York 1961.

Konig, Karl: *The Camp Hill movement*. Camphill Press, Great Britain 1960.

Lane, Harlan: *When the Mind Hears: A History of the Deaf*. New York and Toronto 1984.

Leinslie, Gjertrud: "Becretning fra et verksted"("Account from a Workshop."). Vidaråsen 1984.

Rosenberg, Thomas: *På spaning efter en ny tydelighet*. (Searching for a New Clarity). Hango, Finland 1987.

Rudeng, Ehk: "Robert Owen." *Pax Lexikon*, Vol. 5, Oslo 1980.

Sachs, Oliver: "The Revolution of the Deaf 1988." *New York Review of Books*, June 2 1988.

Seip, Didrik Arup: *Hjemme og i fiendeland(At Home and on Hostile Territory)*. Oslo 1946.

Steiner, Rudolf: *Antroposophy and the Social Question*. 1905, New York 1982.

Ufer, Nils: *Set fra Ishøj(Seen from Ishøj)*. Copenhagen 1988.

Zborowski, Mark and Elizabeth Herzog: *Little-Town of Eastern Europe*. New York 1952.

Øterberg, Dag: *Fortolkende sosiologi(An Interpreting Sociology)*. Oslo 1986.

Øterberg, Dag: *Metasociology: An Inquiry into the Origins and Validity of Social Thought*. Oslo 1988.

캠프힐 마을들에 관한 더 읽을거리

Allen, Joane de Deris: *Living Buildings: Expressing Fifty Years of Camphill*. Aberdeen 1989(To be published).

Konig, Karl: *In Need of Special Understanding*. Botton Village, Danby, North Yorkshire, 1986.

Konig, Karl: *The Camphill Movement*. Botton Village, Danby, North Yorkshire, 1960.

Parmann, Øysstein: Vidaråsen Landsby: Ideer — dagligliv — bakgrunn.?("The Vidaråsen Commune: Ideas — Daily life — Background"). Oslo 1980.

Pietzner, Cornelius M.: *Village Life: The Camphill Communities*. Salzburg 1986.

Pietzner, Cornelius M.: *Aspects of Curative Education*. Aberdeen 1966.

Pietzner, Cornelius M.: *Candle on the Hill: The Camphill Communities Worldwide*. Edinburgh 1989(To be published).

Steiner, Rudolf: *The Social Future*. 1919, Spring Valley, New York 1972.

Steiner, Rudolf: *Towards Social Renewal*. Basic Issues of the Social Question. 1961, London 1977.

Weihs, Anke and Joan Tallø revised ed., by Wain Farrants: *Camphill*

Villages. Botton Village, Danby North Yorkshire 1988.

Weihs, Thomas: *Children in Need of Special Care*. London 1977.